中国国家汉办规划教材
体验汉语系列教材

Confucius Institute
University of South Florida
http://global.usf.edu/confucius

Experiencing

体验 汉语
Experiencing Chinese

商务篇
Business Communication in China

60~80 课时
60-80 Hours

顾 问 刘 珣
总策划 刘 援
编 者 张 红 岳 薇

高等教育出版社
Higher Education Press

Printed in China

《体验汉语®》立体化系列教材

教材规划委员会

许　琳　　曹国兴　　刘　辉　　刘志鹏

马箭飞　　宋永波　　邱立国．刘　援

短期课程系列

《体验汉语®·商务篇（60～80课时）》

顾　问　　刘　珣

总策划　　刘　援

编　者　　张　红　岳　薇

策　划　　徐群森

责任编辑　　徐群森

版式设计　　孙　伟

插图设计　　徐群森

插图绘制　　刘　艳

插图选配　　金飞飞

封面设计　　周　末

责任校对　　徐群森

前 言

《体验汉语·商务篇（60~80课时）》是专为完成了大约160个学时的基础汉语学习，能用汉语进行日常交际的外国人编写的商务汉语教材。该书突破性地将商务汉语学习与基础汉语教学衔接，满足汉语学习者从事商务工作的迫切需求。

本书根据体验式教学理念和任务型教学思想而设计，以商务人员的工作需要为依据，以实用的商务交际任务为主线，注重听说，功能与话题相结合，通过各种训练达到提高交际能力的目的。

教材充分考虑到短期教学在时间上灵活多样的需求，其设计具有一定的伸缩性，教学时间为60~80个学时的各种短期班或长期班的选修课都可以选用本教材。

教材的主要特点

1．听说一体。本教材既适合集中强化培训，也适用于商务人士自学使用。语言简洁、自然，内容真实、有代表性，语句符合听力与口语教学的特点，利于学习者理解与使用。

2．商务案例教学。将语言学习和案例分析有机地结合起来，帮助学习者用汉语分析和解决商务活动中出现的问题，并大量采用商务图表与文件，模拟真实的商务工作素材与环境。

3．商务互动练习。课堂活动设计突出任务型教学的特点，听说部分以情景为主，安排了实践性很强的商务情景练习和商务案例分析。尤其是互动性的任务练习，能够极大地激发学生的参与。图文并茂、形式新颖的活动不但可以减轻记忆的负担，还可以增加学习兴趣。这些商务练习为学习者提供了在商务操作中实践语言知识与技能的机会。

4．版式新颖、图文并茂。该教材的版式体现了"体验汉语"的教学理念。教材的练习部分大量采用了实景摄影照片、公司图标和商务图表，以帮助学习者熟悉真实的商务工作内容。

教材的基本结构

全书由12个单元组成。全书课文共出现178个生词与短语，31个专有名词和37个关键句式。生词按照在课文中出现的先后顺序编排。另外，作为专业词汇的扩展，"商务小词库"提供了98个补充词汇。

每个单元分为四部分。第一部分包括学习目标、词语和关键句式；第二部分包括听力技能和口语技能；第三部分的商务练习包括商务情景练习和商务案例分析；第四部分则由超级链接短文或真实表格和商务小词库构成。

另外，本教材对课文中的语言难点做了语法标注。

编者谨向高等教育出版社国际汉语出版中心的编辑与美工人员在教材的内容策划、插图和版式设计等方面的创造性工作致以衷心的感谢。

希望您就这本书的使用体会与我们进行沟通与交流，祝愿本书佐助您在汉语学习和商务活动中取得成功。

编 者

2006 年 2 月

目 录 CONTENTS

学习目标 (Objectives)

Unit 1

初次见面
Greeting and Introduction

- Learning how to introduce yourself and0
- Learning the names of some job titles
- Learning how to design your own name card

1

Unit 2

工作团队
Team Work

- Learning how to describe organizational structure
- Learning how to describe your job
- Learning how to interview for a job

11

Unit 3

日程安排
Time Schedules

- Learning how to book tickets
- Learning how to arrange work
- Learning how to introduce daily work

19

Unit 4

办公地点
Location of the Workplace

- Learning how to give directions to a company's location
- Learning how to introduce the Location of the workplace
- Learning how to order merchandise

28

Unit 5

商务宴会
Business Banquet

- Learning how to arrange banquets
- Learning how to invite guests
- Learning how to toast

37

Unit 6

网上办公
Working on the Internet

- Learning how to shop on the Internet
- Learning how to work on the Internet
- Learning how to attend a network meeting

45

Unit 7

市场营销
Marketing

- Learning something about consumer behavior
- Learning something about marketing
- Learning how to express your opinion about advertising

54

Unit 8

财务管理
Financial Management

- Learning about the financial management of a company
- Learning how to analyze financial statements
- Learning how to make a budget

63

Unit 9

商业咨询
Business Consulting

- Learning about the basics of commercial consulting companies
- Learning about the management characteristics of different companies
- Learning how to offer consultation services to companies

71

Unit 10

战略管理
Strategy Management

- Learning about the process of strategy planning
- Learning how to establish a brand
- Learning about the reason why a commpany changes its strategy

80

Unit 11

企业文化
Company Culture

- Learning about the company culture
- Learning how to talk about the details of company culture
- Learning how to understand the differences between company cultures

89

Unit 12

社会贡献   • Learning about community contribution   **100**
Community Contribution   • Learning how to introduce some charity
       activities
       • Learning some expressions for charity activities

录音文本   **Scripts**   **109**
题语注释   **Idioms**   **113**
词汇表（一）   **Vocabulary**   **114**
词汇表（二）   **Proper Names**   **122**

Chū cì jiànmiàn
初 次 见 面
Greeting and Introduction

有朋自远方来 不亦乐乎
——孔子

学习目标　Objectives

○ 学会介绍自己和介绍别人　Learning how to introduce yourself and others

○ 学会说职位头衔　Learning the names of some job titles

○ 学会制作名片　Learning how to design your own business card

词 语 Words & Expressions

生词与短语
Words &
Phrases

1

1
chūcì
初次
first time

2
zhíwèi
职位
position

3
jìzhě
记者
journalist

4
diànzhǎng
店长
store manager

5
gōngchéngshī
工程师
engineer

6
shāngwù rénshì
商务 人士
businessman

7
jiāoliú
交流
exchange

8
jīngyàn
经验
experience

9
fāyán
发言
state one's view

10
zhǔguǎn
主管
person in charge

11
jīnglǐ
经理
manager

12
péixùnshī
培训师
trainer

13
fēnxīshī
分析师
analyst

14
guǎnggào
广告
advertisement

15
bù
部
department

16
rénlì zīyuán
人力 资源
human resource

2 专有名词
Proper Nouns

adidas
Ādídāsī
阿迪达斯
Adidas

经济日报
Jīngjì Rìbào
经济 日报
Economic Daily

i'm lovin' it 我 就 喜欢
Màidāngláo
麦当劳
McDonald's

当当网
dangdang.com
Dāngdāng Wǎng
当当 网
dangdang.com

Fāngzhèng Jítuán

方正　　集团

Founder

Zhōngguó Píng'ān

中国　　平安

Ping An of China

Guǎngzhōu Běntián

广州　　本田

Guangzhou Honda

Zhōngguó Yínháng

中国　　银行

Bank of China

关键句式　Key Sentence Patterns

介绍自己

Introducing yourself

我是……，在……工作

例：我是从日本来的三岛明，在广州本田汽车公司工作。

初次见面

Meeting for the First Time

很高兴认识你

例：很高兴认识你。我叫李红，在人力资源部工作。

听力任务 Listening Tasks

① 介绍自己 Introducing Yourself

看下面四张名片和照片，听一遍录音，然后确定每张名片是谁的。
Listen to the record, and then find the correct name card for each person.

经济日报

记者
电　　话：010-52235878
地　　址：中国北京市长安街6号
邮　　编：100006
网　　址：http://www.economicdaily.com.cn

A　朱波

i'm lovin' it 我就喜欢

通信地址：中国上海市江宁路100号
邮政编码：200101
电话号码：021-38834500
传真号码：021-38834589
店长

B　三岛明

方正集团
工程师
通信电址：中国北京成府路298号中关村方正大厦9层
邮政编码：100871
电话号码：010-58838729
网　　址：http://www.founder.com

C　林泉

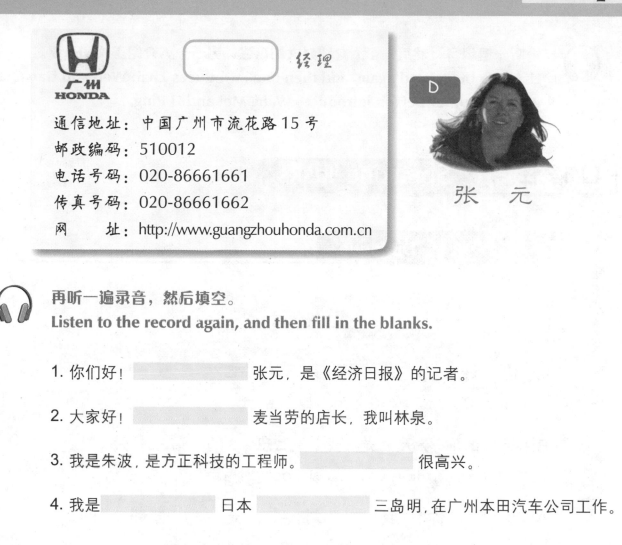

经理

通信地址：中国广州市流花路15号
邮政编码：510012
电话号码：020-86661661
传真号码：020-86661662
网　　址：http://www.guangzhouhonda.com.cn

D

张　元

🎧 再听一遍录音，然后填空。
Listen to the record again, and then fill in the blanks.

1. 你们好！＿＿＿＿＿＿＿＿＿张元，是《经济日报》的记者。

2. 大家好！＿＿＿＿＿＿＿＿＿麦当劳的店长，我叫林泉。

3. 我是朱波，是方正科技的工程师。＿＿＿＿＿＿＿＿＿很高兴。

4. 我是＿＿＿＿＿＿＿日本＿＿＿＿＿＿三岛明，在广州本田汽车公司工作。

② 介绍别人 Introducing Someone Else

🎧 听一遍录音，然后把人名、公司和职位头衔连起来。
Listen to the record, and then match the name with the company and position.

赵　文	阿迪达斯	分析师
王　梅	中国银行	培训师
高　强	平安保险	经　理
李　平	当当网	主　管

再听一遍录音，然后一个人介绍赵文和高强，另一个人介绍王梅和李平。
Listen to the record again, and then one introduces Zhao Wen and Gao Qiang, while the other person introduces Wang Mei and Li Ping.

口语任务 Speaking Tasks

① 实景对话 Dialogue

介绍自己

A: 你 好，你 是 新 来 的 吧？
　　Nǐ hǎo, nǐ shì xīn lái de ba?

B: 是 的，今天 是 我 上班 的 第一 天。
　　Shì de, jīntiān shì wǒ shàngbān de dìyī tiān.

A: 欢迎 你！我 叫 刘 平，是 广告部 的。
　　Huānyíng nǐ! Wǒ jiào Liú Píng, shì guǎnggàobù de.

B: 很 高兴 认识 你。我 叫 李 红，在 人力
　　Hěn gāoxìng rènshi nǐ. Wǒ jiào Lǐ Hóng, zài rénlì
　　资源部 工作。
　　zīyuánbù gōngzuò.

A: 如果 有 什么 要 帮忙 的，尽管 告诉 我。
　　Rúguǒ yǒu shénme yāo bāngmáng de, jǐnguǎn gàosù wǒ.

B: 非常 感谢！
　　Fēicháng gǎnxiè!

尽管: feel free to; not hesitate to

Self-introduction

A: Hello, are you the new person?

B: Yes, today is my first day of work here.

A: Welcome! My name is Liu Ping, I work in the Advertising Department.

B: Nice to meet you. My name is Li Hong. I work in the Human Resource Department.

A: If you need any help, please let me know.

B: Thank you very much.

② 模拟练习 Simulation

根据课文，用合适的词语填空。

Fill in the blanks with correct words according to the dialogue.

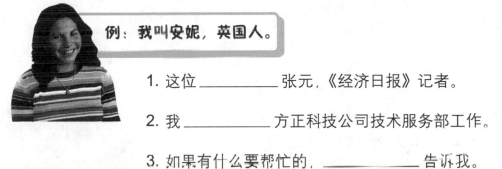

例：我叫安妮，英国人。

1. 这位 _____ 张元，《经济日报》记者。

2. 我 _____ 方正科技公司技术服务部工作。

3. 如果有什么要帮忙的，_____ 告诉我。

根据课文把两列句子搭配起来。

According to the dialogue, match the sentences on the right side to the ones on the left.

1. 我们认识一下，我叫张梅，在财务部工作。

2. 认识您我很高兴。

3. 你是新来的吧？

A. 认识您我也很高兴。

B. 是的，我刚来公司两周。

C. 我叫刘波，是市场部的。

商务任务 Business Tasks

① 角色扮演 Role-Play

角色 Role

方正科技的市场部经理
The marketing manager of the Founder Tech

任务 Assignment

你正在参加一个国际商品交易会 (jiāoyìhuì, trade fair)，你要让更多的人对方正电脑感兴趣。

You are at an international trade fair. You want to interest people in your products.

1. 向参加交易会的客人介绍自己。
   Introduce yourself to the guests.
2. 认识至少三位参加交易会的客人。
   Meet at least three guests who visit the trade fair.
3. 把自己刚刚认识的几位客人介绍给老板 (lǎobǎn, boss)。
   Introduce the guests you just met to your boss.

② 商务体验 Business Practice

 设计 (shèjì, design) 自己的名片，然后和别人交换。
Design your own business card, and then exchange it with others.

① 超级链接 Super Links

交换名片

中国人在第一次见面时常常交换名片。当我们把名片递给别人的时候，应该用双手或者用右手，一般还需要说两句客气话，比如"请多指教"、"多联系"等。

别人给你名片时，你应该用双手接，表示礼貌。拿到别人的名片，你要表示谢意，比如人家说"多指教"，你应该说"不客气"或者"彼此彼此"。

有些人的名片上有很多头衔。一般来说，第一个头衔最重要。另外，和很多人同时见面时，要把你的名片先给地位最高的人。

如果你要介绍别人，应该先把职位高的介绍给职位低的。如果你要称呼别人，最好称呼他的头衔，比如"王总（经理）"、"李董（事长）"等等。

Exchanging Name Cards

Chinese people always exchange name cards when they first meet. When they give the card to others, they use their right hand or both hands for greeting.

When others give you their cards, you should accept them with both hands and you should say thank you.

While there are many titles on a name card, in general, the first title is the most important. In addition, when you meet with several people, you should first give your card to the person with highest position.

When you introduce someone to others, you should introduce the person with the highest position to the person with the lower one. When we address someone, their title is often given after the surname, such as "王总（经理）"、"李董（事长）"etc.

商务小词库 Supplementary Vocabulary

bùmén jīnglǐ / bùmén zhǔguǎn 部门 经理 / 部门 主管 Department Manager	shǒuxí cáiwùguān / cáiwù zǒngjiān 首席 财务官 / 财务 总监 CFO (chief financial officer)
chángwù fùzǒngcái 常务 副总裁 executive vice president	shǒuxí zhíxíngguān 首席 执行官 CEO (chief executive officer)
dǒngshì 董事 Director of the Board	zǒngcái 总裁 President
dǒngshìzhǎng 董事长 Chairman of the Board	zǒngjīnglǐ 总经理 General Manager

UNIT 2

Gōngzuò   tuánduì

工作　团队

Team Work

众人拾柴火焰高

学习目标 Objectives

○ 学会描述组织结构 Learning how to describe organizational structure
○ 学会介绍工作的内容 Learning how to describe your job
○ 学会参加面试 Learning how to interview for a job

词语 Words & Expressions

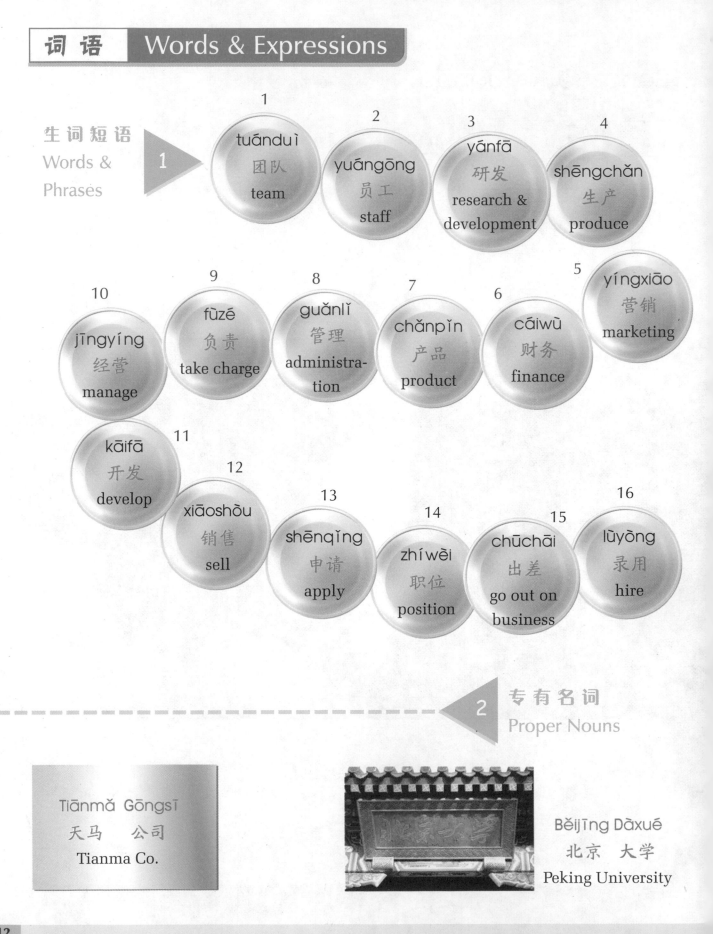

生词短语
Words &
Phrases

1

1 tuánduì 团队 team

2 yuángōng 员工 staff

3 yánfā 研发 research & development

4 shēngchǎn 生产 produce

10 jīngyíng 经营 manage

9 fùzé 负责 take charge

8 guǎnlǐ 管理 administration

7 chǎnpǐn 产品 product

6 cáiwù 财务 finance

5 yíngxiāo 营销 marketing

11 kāifā 开发 develop

12 xiāoshòu 销售 sell

13 shēnqǐng 申请 apply

14 zhíwèi 职位 position

15 chūchāi 出差 go out on business

16 lùyòng 录用 hire

2 专有名词 Proper Nouns

Tiānmǎ Gōngsī 天马 公司 Tianma Co.

Běijīng Dàxué 北京 大学 Peking University

关键句式 Key Sentence Patterns

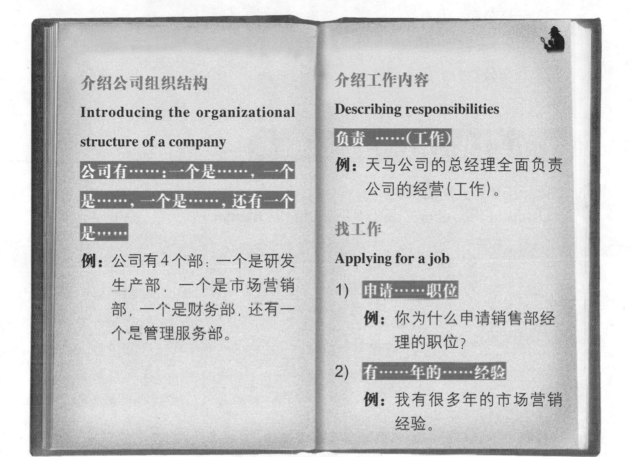

介绍公司组织结构

Introducing the organizational structure of a company

公司有……：一个是……，一个是……，一个是……，还有一个是……

例：公司有4个部：一个是研发生产部，一个是市场营销部，一个是财务部，还有一个是管理服务部。

介绍工作内容

Describing responsibilities

负责 ……（工作）

例：天马公司的总经理全面负责公司的经营（工作）。

找工作

Applying for a job

1) 申请……职位

例：你为什么申请销售部经理的职位？

2) 有……年的……经验

例：我有很多年的市场营销经验。

听力任务 Listening Tasks

① 介绍公司部门 Introducing the Departments of a Company

听一遍录音，然后选择听到的部门。

Listen to the record and then choose the departments that are found in the Tianma Co.

①研发生产部 ☐   ②技术部 ☐   ③管理服务部 ☐

④市场营销部 ☐   ⑤财务部 ☐   ⑥人力资源部 ☐

再听一遍录音，然后填空。
Listen to the record again, and then fill in the blanks.

1. 天马公司一共有 _____ 名员工，有 _____ 个部。

2. 天马公司的产品是绿色 _____ 食品。

② 介绍工作内容 Describing Jobs

听一遍录音，然后填空。
Listen to the record, and then fill in the blanks.

职 位	工 作
_____ 经理	公司的经营
_____ 经理	新产品开发
_____ 经理	产品销售
_____	人力资源管理

介绍一下天马公司的基本情况及组织结构。
Give a brief introduction of Tianma Co., especially the organizational structure.

口语任务 Speaking Tasks

① 实景对话 Dialogue

面 试

A: 请 谈谈 你 的 情况 吧。
　　Qǐng tántan nǐ de qíngkuàng ba.

B: 我 2002 年 从 北京 大学 毕业，在 一家 电脑
　　Wǒ èrlínglíng'èr nián cóng Běijīng Dàxué bìyè, zài yì jiā diànnǎo

公司 工作 了 三 年。

gōngsī gōngzuò le sān nián.

A: 你为 什么 申请 营销部 经理 职位?

Nǐ wèi shénme shēnqǐng yíngxiāobù jīnglǐ zhíwèi?

B: 因为 我有 很 多 年 的 市场 营销 经验。

Yīnwèi wǒ yǒu hěn duō nián de shìchǎng yíngxiāo jīngyàn.

A: 如果 我们 录用 你，你 什么 时候 能 上班?

Rúguǒ wǒmen lùyòng nǐ, nǐ shénme shíhou néng shàngbān?

B: 我 马上 就 可以 工作。

Wǒ mǎshàng jiù kěyǐ gōngzuò.

A job interview

A: Please briefly introduce yourself.
B: I graduated from Peking University in 2002. I have worked in a computer company for three years.
A: Why did you apply for the position of marketing manager?
B: Because I have years of experience in marketing.
A: When can you start work, if we hire you?
B: I can work right now.

2 模拟练习 Simulation

选择合适的词语填空。
Fill in the blanks with the proper words.

开　　录用　　负责　　经验

1. 他一直在市场部工作，有 5 年的市场开发 ______。
2. 这家公司今年一共 ______ 了 10 名员工。
3. 他很有能力，自己 ______ 了一家食品公司。
4. 他在研发生产部主要 ______ 新产品的开发工作。

完成对话。
Complete the dialogues.

1. A: _____?
   B: 我在一家贸易公司工作。

2. A: 你申请什么职位?
   B: _____。

3. A: 你愿意经常出差吗?
   B: _____。

商务任务 Business Tasks

① 角色扮演 Role-play

角色 Role

你和朋友
You and your friend

任务 Assignment

你和朋友准备开一家公司,现在你们一起设计公司的组织结构,讨论每个部门录用多少员工。
You and your friend are preparing to start your own company. You are designing the organizational structure of the company and discuss how many staff you are going to hire for each department.

② 商务体验 Business Practice

 准备一份自己的简历,介绍自己上学和工作的情况。
Write a resume including your educational background and working experience.

扩展阅读 Further Reading

① 超级链接 Super Links

某集团公司组织结构图

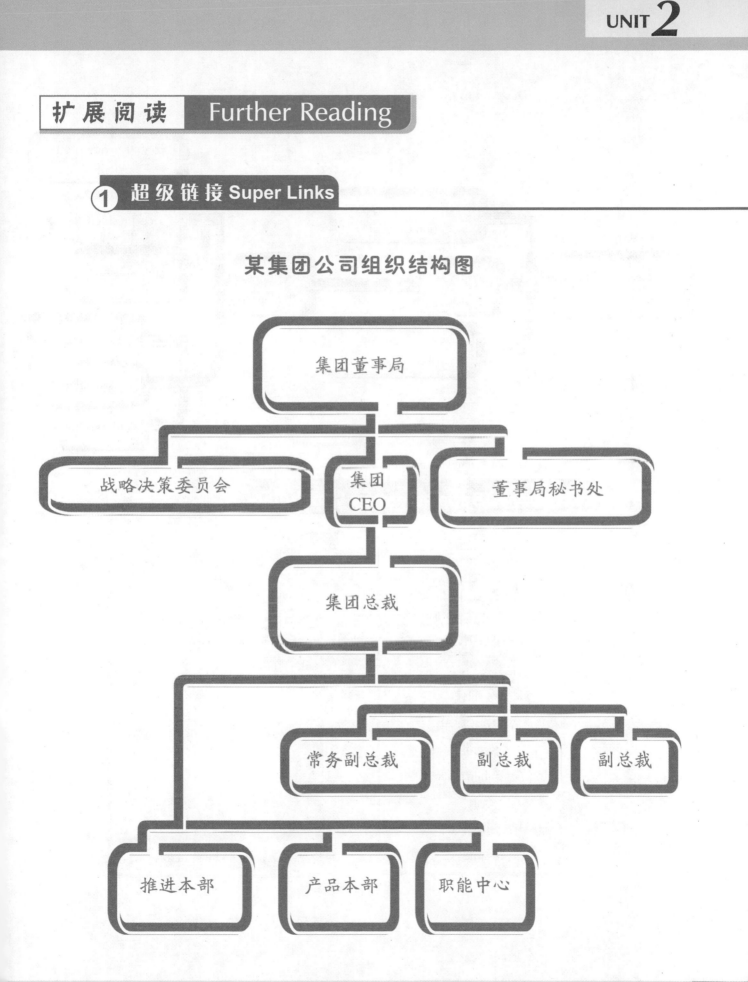

Diagram of the Organizational Structure of A Group Co.

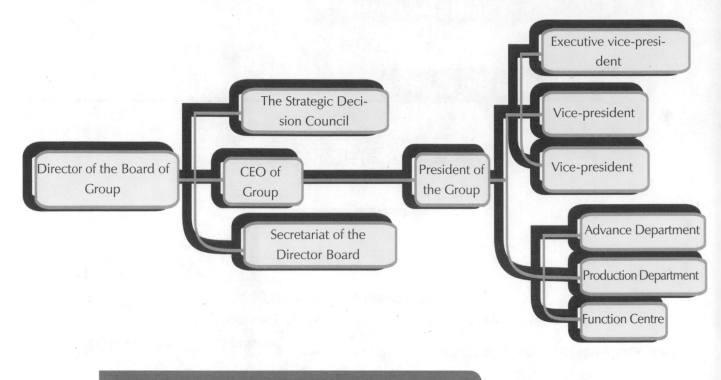

② 商务小词库 Supplementary Vocabulary

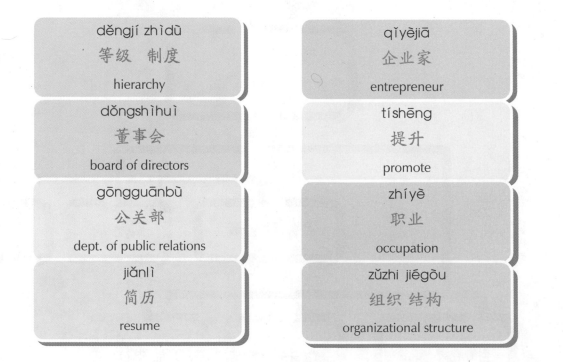

děngjí zhìdù	qǐyèjiā
等级 制度	企业家
hierarchy	entrepreneur
dǒngshìhuì	tíshēng
董事会	提升
board of directors	promote
gōngguānbù	zhíyè
公关部	职业
dept. of public relations	occupation
jiǎnlì	zǔzhi jiégōu
简历	组织 结构
resume	organizational structure

Rìchéng   ānpái

日程 安排

Time Schedules

一年之计在于春 一天之计在于晨

学习目标 Objectives

○ 学会预订机票 Learning how to book tickets
○ 学会安排工作 Learning how to arrange work
○ 学会介绍日常工作 Learning how to introduce daily work

词语 Words & Expressions

生词短语
Words and
Phrases

1

1 rìchéng 日程 schedule

2 ānpái 安排 arrangement

3 yùdìng 预订 book; reserve

4 wǎngfǎnpiào 往返票 round-trip ticket

5 jīngjìcāng 经济舱 economy class

6 gōngwùcāng 公务舱 business class

7 qǐyè wénhuà 企业文化 corporate culture

8 zǒngjié 总结 summary

9 gōngchǎng 工厂 factory

10 chá 查 check

11 gōutōng 沟通 communicate

12 chējiān 车间 workshop(in factory)

13 kèhù 客户 customer

2 专有名词 Proper Nouns

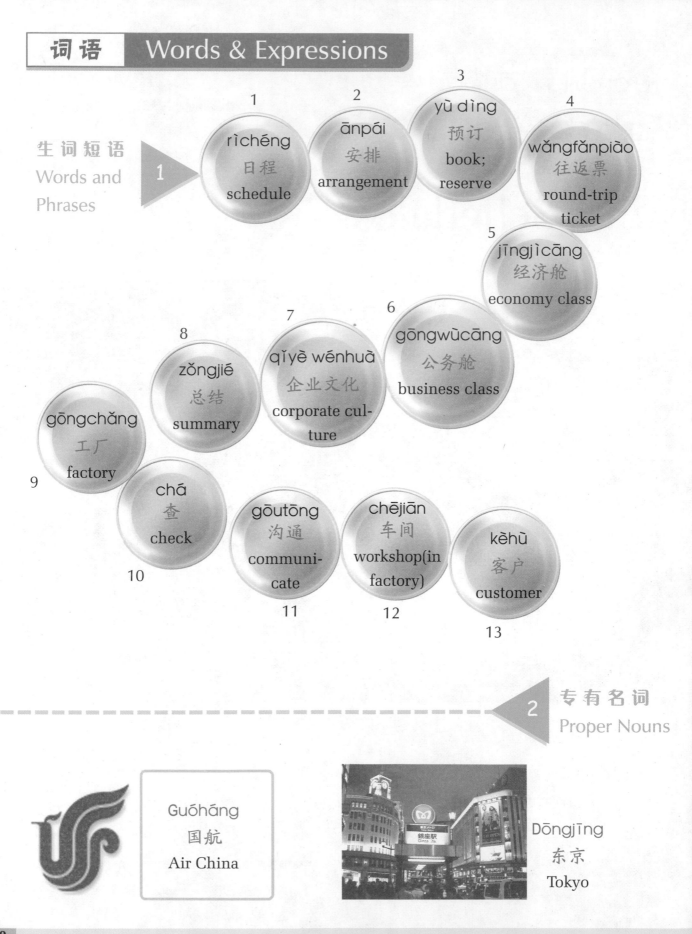

Guóháng 国航 Air China

Dōngjīng 东京 Tokyo

关键句式 Key Sentence Patterns

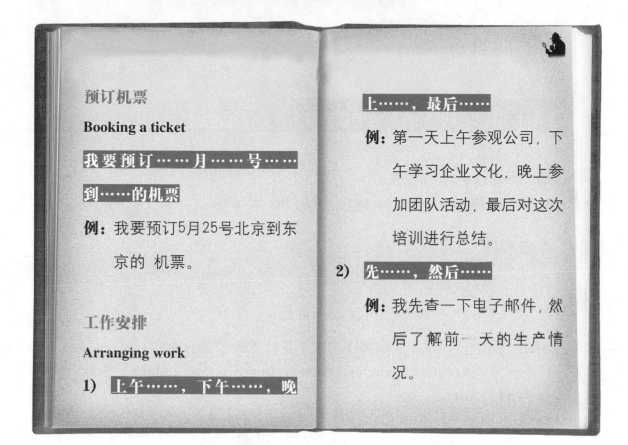

预订机票
Booking a ticket
我要预订……月……号……到……的机票
例：我要预订5月25号北京到东京的 机票。

工作安排
Arranging work
1) **上午……，下午……，晚**

上……，最后……
例：第一天上午参观公司，下午学习企业文化，晚上参加团队活动，最后对这次培训进行总结。

2) **先……，然后……**
例：我先查一下电子邮件，然后了解前一天的生产情况。

听力任务 Listening Tasks

① 预订机票 Booking a Ticket

听一遍录音，然后填空。
Listen to the record, and then fill in the blanks.

	月		日	离开		到达	
	月		日	离开		到达	

再听一遍录音，然后填空。
Listen to the record again, and then fill in the blanks.

公司秘书一共订了 ＿＿＿＿＿＿＿ 张机票。＿＿＿＿ 张 ＿＿＿＿＿＿ 舱，

＿＿＿＿＿ 张 ＿＿＿＿＿ 舱。

② 工作安排 Arranging Work

听一遍录音，然后填空。
Listen to the record, and then fill in the blanks.

1. 王梅是一名 ＿＿＿＿＿＿＿＿。

2. 上星期，王梅组织了两天的新员工 ＿＿＿＿＿＿＿。

再听一遍录音，按照时间顺序写出王梅两天的培训活动。
Listen to the record again, and then write down Wang Mei's training activities in the right order.

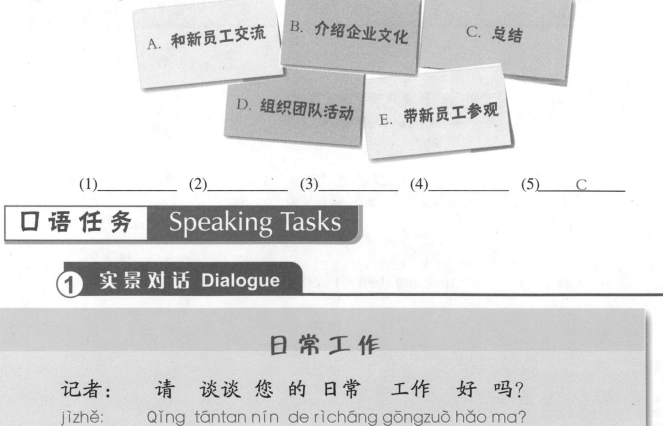

A. 和新员工交流　　B. 介绍企业文化　　C. 总结

D. 组织团队活动　　E. 带新员工参观

(1)＿＿＿＿＿　(2)＿＿＿＿＿　(3)＿＿＿＿＿　(4)＿＿＿＿＿　(5)＿＿C＿＿

口语任务　Speaking Tasks

① 实景对话 Dialogue

日常工作

记者：　请　谈谈　您　的　日常　工作　好　吗？
jìzhě:　Qǐng tántan nín de rìcháng gōngzuò hǎo ma?

三岛 明: 我 一般 8 点 到 工厂, 先 查 一下 电子
Sāndǎo Míng: Wǒ yìbān bā diǎn dào gōngchǎng, xiān chá yíxià diànzǐ

邮件, 然后 了解 前 一 天 的 生产 情况。
yóujiàn, ránhòu liǎojiě qián yì tiān de shēngchǎn qíngkuàng.

记者: 您 和 其他 经理 怎么 沟通 呢?
jìzhě: Nín hé qítā jīnglǐ zěnme gōutōng ne?

三岛 明: 我们 每天 开 一 次 沟通 会。
Sāndǎo Míng: Wǒmen měitiān kāi yí cì gōutōng huì.

记者: 下午 呢?
jìzhě: Xiàwǔ ne?

三岛 明: 下午 经常 在 生产 车间。
Sāndǎo Míng: Xiàwǔ jīngcháng zài shēngchǎn chējiān.

记者: 您 一般 什么 时候 下班 呢?
jìzhě: Nín yìbān shénme shíhou xiàbān ne?

三岛 明: 6 点 左右 吧, 不过 有时候 要 见 一些 客户。
Sāndǎo Míng: Liù diǎn zuǒyòu ba, búguò yǒushíhou yào jiàn yìxiē kèhù.

Daily Work

Journalist:	Could you please say something about your daily work?
Akira Mishima:	I often come to the factory at 8:00 am. First I check my e-mail, and then find out about yesterday's production.
Journalist:	How do you communicate with other managers?
Akira Mishima:	We have a regular meeting every day.
Journalist:	What about the afternoon?
Akira Mishima:	I often stay at the workshop.
Journalist:	When do you leave?
Akira Mishima:	Around 6:00 pm. But I have to meet customers sometimes.

2 模拟练习 Simulation

根据课文，把时间和三岛明的活动连接起来。
Match the work and the time according to the dialogue.

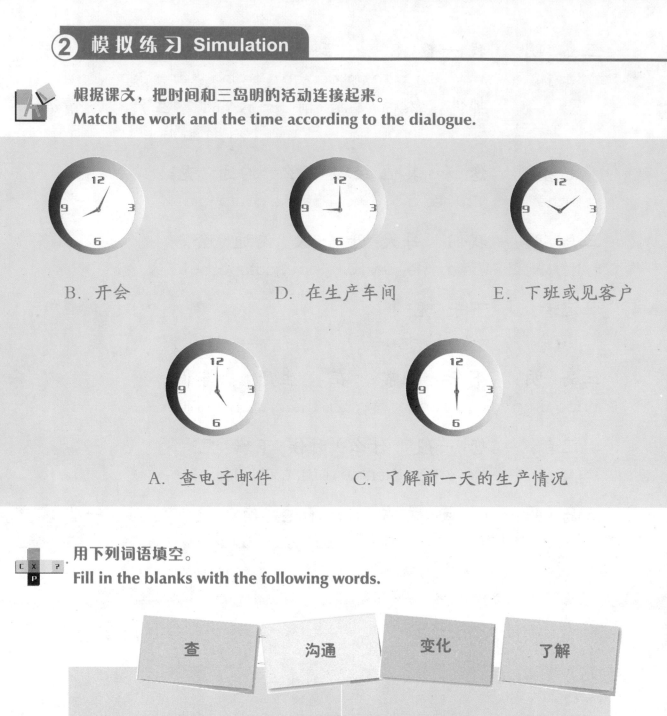

B. 开会　　　　　　　D. 在生产车间　　　　　E. 下班或见客户

A. 查电子邮件　　　　C. 了解前一天的生产情况

用下列词语填空。
Fill in the blanks with the following words.

查　　　沟通　　　变化　　　了解

与其他经理	
	生产情况
	电子邮件
看到一些	

商 务 任 务 Business Tasks

① 角色扮演 Role-play

角色 Role

销售经理和生产经理

Sales manager and production manager

任务 Assignment

请根据下表说说自己的日常工作。

Talk about your daily work according to the following schedule.

时间	活动		时间	活动
			9:00	到公司。
8:30	到公司,先查电子邮件。			
9:00	给客户(kèhù, client)打电话。		10:00	与其他员工设计产品。
13:00	与其他经理开沟通会。			
			15:00	去工厂的生产车间。
			19:00	下班。
19:00	参加商务活动。			

② 商务体验 Business Practice

你去上海出差两天,请根据下面的活动设计你的日程表:

You will go to Shanghai on business for two days. Arrange your schedule according to the following activities:

第一天上午 9 点到上海，第二天下午 6 点离开上海。

You will arrive at Shanghai at 9:00am on the first day, and you will leave at 6:00pm the next day.

- ☐ 参观一家外国公司　　Visit a foreign company
- ☐ 参观你们公司在上海的工厂　Visit your factory in Shanghai
- ☐ 与客户见面并一起用餐　Meet with your client and have dinner together
- ☐ 与一些公司经理开会　Have a meeting with some managers
- ☐ 游览上海　　Tour in Shanghai
- ☐ 看朋友　　Visit your friends

扩展阅读 Further Reading

① 超级链接 Super Links

保持工作和生活的平衡

诺基亚公司不仅希望员工努力工作、取得好的工作绩效,更希望员工保持工作与生活的平衡。

诺基亚公司为员工组织丰富的健身和娱乐活动,鼓励员工参加各种培训课程。公司通过与专业机构合作,为员工提供家庭理财的咨询服务和心理咨询。

诺基亚公司希望通过这些活动,帮助员工拥有更加健康和平衡的生活,促进员工能力的发展,提高员工的生活质量和工作绩效,更希望建立好的企业人文环境。

Nokia hopes its employees will not only work hard, but also maintain a balance between work and leisure.

Nokia provides many fitness and entertainment activities for its employees. Nokia encourages its employees to join in all kinds of vocational training. And Nokia provides financial and psychological consultation by cooperating with professional organizations.

Through these activities, Nokia hopes to help its employees have a healthier and more balanced life; hopes to develop the employees' ability; hopes to improve their quality of Life and work performance; and also hopes to establish a good working environment.

② 商务小词库 Supplementary Vocabulary

chuánzhēn 传真 fax	dùjiǎ 度假 take a vocation
dānchéngpiào 单程票 one-way ticket	liúyán 留言 (给别人) leave a message
dēngjī 登机 board a plane	shǒuxù 手续 procedure
diànzǐ jīpiào 电子 机票 e-ticket	yùndòng shèshī 运动 设施 sport facilities

UNIT 4

Bàngōng dìdiǎn

办公 地点

Location of the Workplace

安居乐业

学习目标　Objectives

○ 学会介绍公司位置　Learning how to give directions to a company's location

○ 学会介绍工作地点　Learning how to introduce the location of the workplace

○ 学会订购商品　Learning how to order merchandise

词 语 Words & Expressions

1

1

bàngōng
办公
handle official
business

2

dìdiǎn
地点
location

3

céng
层
floor; stairs

4

diàntī
电梯
elevator; lift

5

zhǐshìtú
指示图
map

6

qīngjié
清洁
clean

7

zérèn
责任
responsibil-
ity

8

suíshí
随时
at any mo
ment

9

zhíbān
值班
on duty

10

dìnggòu
订购
order

11

jiājù
家具
furniture

12

sòng huò
送货
deliver goods

13

páizi
牌子
sign

DTW 大田物流 Logistics

Dàtián Wùliú
大田 物流
DTW Logistics

关键句式 Key Sentence Patterns

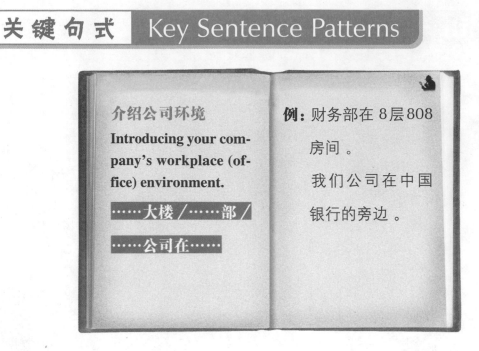

介绍公司环境

Introducing your company's workplace (office) environment.

······大楼 /······部 /

······公司在······

例：财务部在 8 层 808

房间。

我们公司在中国

银行的旁边。

听力任务 Listening Tasks

① 介绍公司环境 Introducing Your Company's Workplace (Office) Environment

听一遍录音，然后说出方正科技大楼在哪儿。

Listen to the record, and then mark the location of the Founder Science and Technology.

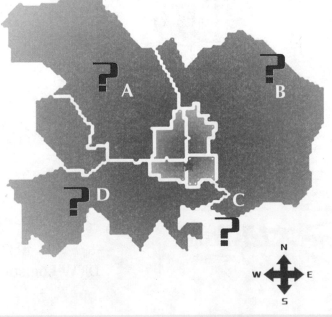

再听一遍录音，然后填空。
Listen to the record again, and then fill in the blanks.

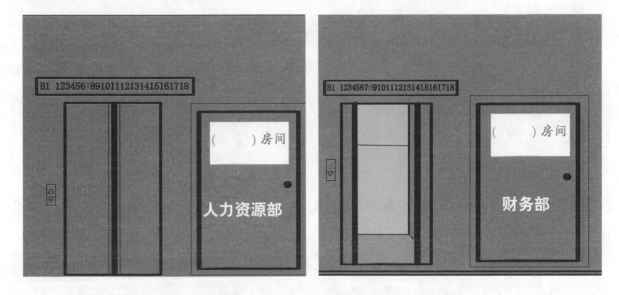

---

② 介绍办公环境 Introducing the Work Environment

听一遍录音，然后填空。
Listen to the record, and then fill in the blanks.

工作时间：下午 _____ 一晚上 _____ 中间休息 _____

负责：_____ 工作

再听一遍录音，然后选择正确的答案。
Listen to the record again, and then choose the right answer.

他工作在	1 层。☐
	2 层。☐

如有问题，他可以去问	店长。☐
	值班经理。☐

口语任务 Speaking Tasks

① 实景对话 Dialogue

公司地点

女: 你好! 天马 公司。
nǚ: Nǐ hǎo! Tiānmǎ Gōngsī.

男: 你好! 我是 大田 物流, 你们 上 星期 订购 了
nán: Nǐ hǎo! Wǒ shì Dàtián Wùliú, nǐmen shàng xīngqī dìnggòu le
办公 家具, 我们 现在 马上 要 给 你们 送 货。
bàngōng jiājù, wǒmen xiànzài mǎshàng yào gěi nǐmen sòng huò.
请问, 怎么 找 你们 更 容易 一些?
Qǐngwèn, zěnme zhǎo nǐmen gèng róngyì yìxiē?

女: 你到 北京 大学 北门, 看见 对面 有一家
nǚ: Nǐ dào Běijīng Dàxué běimén, kànjiàn duìmiàn yǒu yì jiā
中国 银行, 我们 公司 就 在 它 的 旁边。
Zhōngguó Yínháng, wǒmen gōngsī jiù zài tā de pángbiān.
门口 有 我们 公司 的 牌子。
Ménkǒu yǒu wǒmen gōngsī de páizi.

男: 好的。北京 大学 北门 对面 中国 银行
nán: Hǎo de. Běijīng Dàxué běimén duìmiàn Zhōngguó Yínháng
的 旁边。
de pángbiān.

女: 没 错, 有 问题 可以 再 打 电话。
nǚ: Méi cuò. Yǒu wèntí kěyǐ zài dǎ diànhuà.

男: 谢谢! 再见。
nán: Xièxie. Zàijiàn.

> 更: It is an adverb and used when making comparison. It means "even more".

Company Location

Woman: Hello! This is Tianma Company.

Man: Hello! This is DTW Logistics. You have ordered some office furniture which we will deliver for you right now. Could you please tell us the easiest way to find you?

Woman: First you go to the north gate of Peking University. You will see a Bank of China across the street. Our company is next to it and our company sign is at the entrance.

Man: Ok. Your company is beside the Bank of China which is opposite the north gate of Peking University.

Woman: Yes, that's right. If you have any problems, please call us.

Man: Thank you, bye.

② 模拟练习 Simulation

 根据课文画出天马公司在哪儿。
Mark the location of the Tianma Company according to the dialogue.

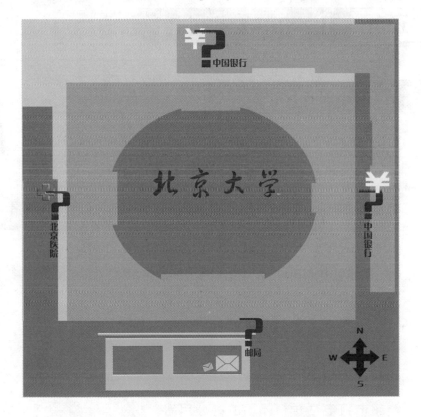

 看图完成对话。
Please complete the dialogues by giving the directions.

A: 请问，怎么找你们更容易一些？

B: _____。

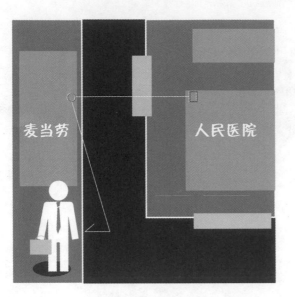
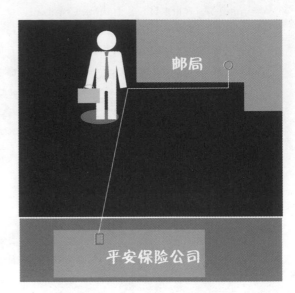

商务任务 Business Tasks

① 角色扮演 Role-play

角色 Role

平安保险公司办公室秘书和办公用品(bàngōng yòngpǐn, office articles) 超市员工

An office secretary of Pingan Insurance Company and a staff member of the supermarket

任务 Assignment

给超市打电话预订下面的办公用品。

Call the store and order the office supplies listed below:

名　称 Name of Commodity	货　号(huò hào) code number	数　量 Quantity
椅　子	C11	6 把
书　架 (shūjià, bookshelf)	D155	3 个
会　议　桌	M9	1 张

② 商务体验 Business Practice

给麦当劳打电话，预订10份套餐(set meal)，告诉他们你的地址，让他们送到你的办公室。

Call McDonald's and order 10 set meals. Tell them your address and ask them

扩展阅读　Further Reading

① 超级链接 Super links

工作中的健康和安全

　　越来越多的企业注意到工作中的健康和安全问题。为什么呢？第一是国家法律的要求；第二是如果企业不注意员工工作中的健康和安全问题，企业会付出更大的代价；第三是因为在任何工作环境之中都会发生事故。因此，企业的管理者应该制定健康和安全管理的计划，然后组织实施这些计划并安排人员监督。

Health and Safety at Work

More and more companies are paying attention to the health and safety at work. Why? The first reason is the requirements of the law. Secondly, if a company is not concerned about the health and safety of its employees, it will cost it more. Thirdly, accident happen in any working environment, so supervisors should have a plan for health and safety management and carry it out and supervise it.

② 商务小词库 Supplementary Vocabulary

bǎoxiǎnguì 保险柜 safe	hàocái 耗材 consumables
bǎoxiūqī 保修期 warranty period	kuàijiàn 快件 express mail
dǎyìnjī 打印机 printer	shùmǎ 数码 digital
fùyìnjī 复印机 copy machine	tóuyǐngyí 投影仪 projector

Shāngwù yànhuì

商务 宴会

Business Banquet

买卖不成仁义在

学习目标 Objectives

○ 学会安排宴会　Learning how to arrange banquets

○ 学会请客人参加宴会　Learning how to invite guests

○ 学会宴会祝酒　Learning how to toast

词 语 Words & Expressions

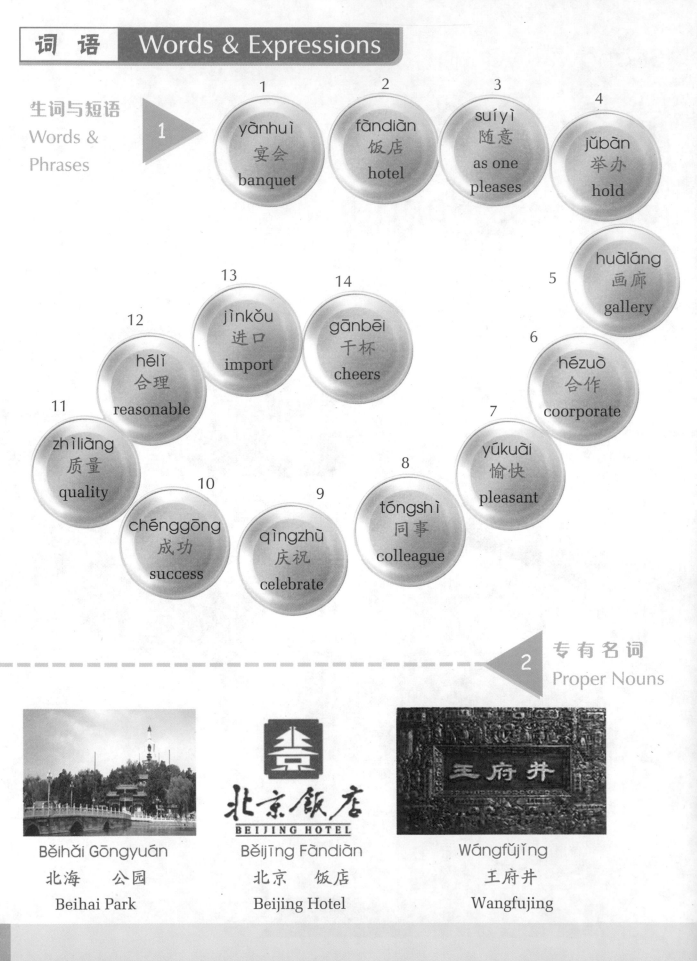

1

1
yànhuì
宴会
banquet

2
fàndiàn
饭店
hotel

3
suíyì
随意
as one
pleases

4
jǔbàn
举办
hold

5
huàláng
画廊
gallery

6
hézuò
合作
coorporate

7
yúkuài
愉快
pleasant

8
tóngshì
同事
colleague

9
qìngzhù
庆祝
celebrate

10
chénggōng
成功
success

11
zhìliàng
质量
quality

12
hélǐ
合理
reasonable

13
jìnkǒu
进口
import

14
gānbēi
干杯
cheers

2 专有名词
Proper Nouns

Běihǎi Gōngyuán
北海　公园
Beihai Park

BEIJING HOTEL
Běijīng Fàndiàn
北京　饭店
Beijing Hotel

王府井
Wángfǔjǐng
王府井
Wangfujing

关键句式 Key Sentence Patterns

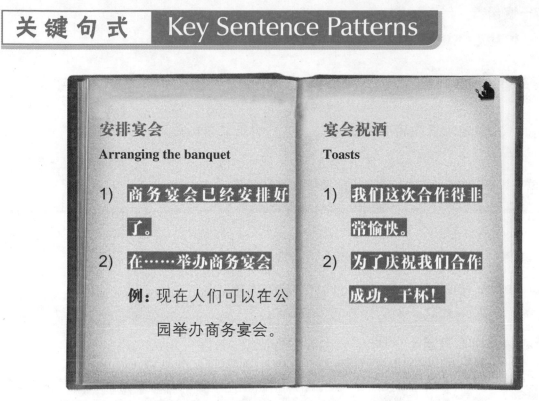

安排宴会
Arranging the banquet

1) 商务宴会已经安排好了。

2) 在……举办商务宴会

   例：现在人们可以在公园举办商务宴会。

宴会祝酒
Toasts

1) 我们这次合作得非常愉快。

2) 为了庆祝我们合作成功，干杯！

听力任务 Listening Tasks

① 安排宴会 Arranging the Banquet

听一遍录音，然后选择正确的答案。
Listen to the record, and then choose the right answer.

| 1.商务宴会安排在 | 北海公园。 | ☐ |
| | 北京饭店。 | ☐ |

| 2.记者请了 | 1个。 | ☐ |
| | 2个。 | ☐ |

再听一遍录音，然后填空。
Listen to the record again, and then fill in the blanks.

1. 商务宴会的时间是 ＿＿＿＿＿＿＿。

2. ＿＿＿＿＿是北京饭店准备的，＿＿＿＿＿也是北京饭店的。

② 宴会介绍 Introducing Banquets

听一遍录音，然后选择正确的答案。
Listen to the record, and choose the right answer.

很多人认为商务宴会应该在 ＿＿＿＿＿＿＿ 举办。

A. 饭　店　　　　　B. 公　园　　　　　C. 画　廊

再听一遍录音，然后选出哪一个是饭店的工作。
Listen to the record again, and then choose the right answer.

一家公司在北海公园举办宴会，饭店的准备工作是：

A. 做好各种准备 ☐　　　　　　B. 选择宴会地点 ☐

C. 让服务员来服务 ☐　　　　　D. 给客人打电话 ☐

口语任务 Speaking Tasks

① 实景对话 Dialogue

商务宴会

A: 我们 这次 合作 得 非常 愉快，我 想 请 您和 您
Wǒmen zhè cì hézuò de fēicháng yúkuài, wǒ xiǎng qǐng nín hé nín

的 同事 一起 吃 晚饭， 庆祝 我们 的 合作 成功。
de tóngshì yìqǐ chī wǎnfàn, qìngzhù wǒmen de hézuò chénggōng.

B: 谢谢。我们 也 很 高兴 和 您 合作。
Xièxie. Wǒmen yě hěn gāoxìng hé nín hézuò.

A: 明天 晚上 7 点 我 在 王府井 烤鸭 店
Míngtiān wǎnshang qī diǎn wǒ zài Wángfǔjǐng kǎoyā diàn

门口 等 您， 好 吗?
ménkǒu děng nín, hǎo ma?

B: 太 好 了，我们 都 很 喜欢 烤鸭。那 我们 明天
Tài hǎo le, wǒmen dōu hěn xǐhuan kǎoyā. Nà wǒmen míngtiān

7 点 见!
qī diǎn jiàn!

（宴会 上 ）
Yànhuì shàng

B: 你们 的 大衣 质量 好，价格 也 合理， 下次 我们 要 多
Nǐmen de dàyī zhìliàng hǎo, jiàgé yě hélǐ, xià cì wǒmen yào duō

进口 1000 件。
jìnkǒu yìqiān jiàn.

A: 这种   大衣 在 国内   销售   得也   非常   好。
      Zhèzhǒng dàyī zài guónèi xiāoshòu de yě fēicháng hǎo.

      为了   庆祝   我们   合作   成功，   干杯!
      Wèile qìngzhù wǒmen hézuò chénggōng, gānbēi!

B: 也为   今后   的 合作，干杯!
      Yě wèi jīnhòu de hézuò, gānbēi!

Business Banquet

A: It's our pleasure to corporate with you. To celebrate our successful corporation, I want to invite you and your colleagues to a dinner.

B: Thank you. It is also our pleasure.

A: I'll wait for you at 7:00 pm tomorrow evening at the entrance of Wangfujing Roast Duck Restaurant. Is that OK?

B: That's great. We all like roast duck. See you tomorrow.

    (At the banquet)

B: Yes. Your coats are good quality and reasonable prices, so we have imported more than 1000 coats next time.

A: This kind of coat also sells good at home. Here's to our successful corporation. Cheers!

B: And to our future corporation. Cheers!

② 模拟练习 Simulation

用自己的话解释以下词语。

Explain the following words in your own words.

1. 进口：．．

2. 同事：．．

3. 成功：．．

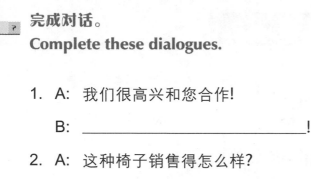

完成对话。

Complete these dialogues.

1. A: 我们很高兴和您合作!

   B: _____!

2. A: 这种椅子销售得怎么样?

   B: _____。

商务任务 Business Tasks

① 角色扮演 Role-play

角色 Role

Porsche 汽车公司销售经理和中国进口商
The sales manager of Porsche Auto Company and a Chinese importer

任务 Assignment

在庆祝合作成功的宴会上,两个人谈话。请用"合作、进口、质量、价格、销售、订购、干杯"这些词。
At a banquet, discuss and congratulate each other for successful cooperation. Please use those words above.

商务宴会 ▶▶▶

② 商务体验 Business Practice

下个星期三，你的公司要在朝阳 (Cháoyáng) 公园举办商务宴会，请你给王府井饭店的宴会市场营销部打电话预订。

扩展阅读 Further Reading

① 超级链接 Super Links

正式商务晚宴的座位安排 Seat arrangements at a formal business banquet
一家中国公司宴请西班牙客人 A Chinese company is entertaining their Sparish clients.

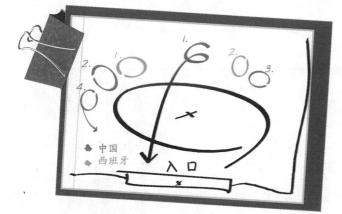

人 员	头 衔
出口商 1	中国公司总经理
进口商 1	西班牙公司采购经理
出口商 2	中国公司销售经理
进口商 2	西班牙公司采购部业务员
出口商 3	中国公司销售部业务员 1
出口商 4	中国公司销售部业务员 2

② 商务小词库 Supplementary Vocabulary

cānguāntuán	guìbīn	yānqǐng
参观团	贵宾	宴请
visiting group	honored guest	entertain (to dinner)

chūxí	pǐnchá	zhùjiǔ
出席	品茶	祝酒
be present (at a banquet, etc.)	drink tea	toast

dáxiè yànhuì	yànhuìtīng	
答谢 宴会	宴会厅	
return banquet	banquet hall	

Wǎngshàng bàngōng

网上 办公

Working on the Internet

运筹帷幄，决胜千里

学习目标　Objectives

○ 学会在网上购物　Learning how to shop on the Internet

○ 了解网络上的工作　Learning how to work on the Internet

○ 学会参加网络会议　Learning how to attend a network meeting

生词与短语
Words &
Phrases

1

1
wǎngluò
网络
network

2
gòuwù
购物
shopping

3
wǎngzhàn
网站
website

4
zhékòu
折扣
discount

5
guòchéng
过程
process

6
jiǎndān
简单
simply

7
xìnxīdān
信息单
information
list

8
dìzhǐ
地址
address

9
tíjiāo
提交
submit

10
tígōng
提供
provide

11
miǎnfèi
免费
free

12
diānzǐbǎn
电子版
electronic edi-
tion

13
gēnshàng
跟上
follow up

14
liánxì
联系
contact

2 专有名词
Proper Nouns

Jīngjì Guānchá Bāo
经济 观察 报
Economic Observer

关 键 句 式 Key Sentence Patterns

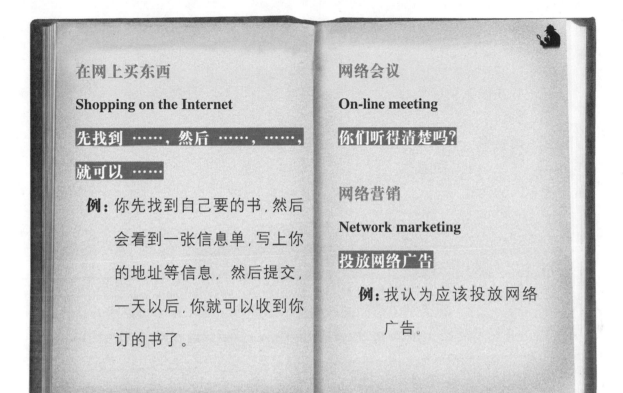

在网上买东西

Shopping on the Internet

先找到 ……，然后 ……，……，就可以 ……

> 例：你先找到自己要的书，然后会看到一张信息单，写上你的地址等信息，然后提交，一天以后，你就可以收到你订的书了。

网络会议

On-line meeting

你们听得清楚吗？

网络营销

Network marketing

投放网络广告

> 例：我认为应该投放网络广告。

听 力 任 务 Listening Tasks

① 网上购物 Shopping on the Internet

听一遍录音，然后填空。
Listen to the record, and then fill in the blanks.

1. 当当网是中国最大的　　　　　　　　　书店。

2. 在当当网买书一般都有一些　　　　　　　　。

再听一遍录音，然后选择正确的答案。

Listen to the record again, and then choose the right answer.

如果你要在当当网买一本书，顺序应该是：

☐ ⇨ ☐ ⇨ ☐ ⇨ ☐ ⇨ B

A. 看到信息单
B. 收到书
C. 找到书
D. 写上地址、电话等
E. 提交信息

② 网上办公 Working on the Internet

 听一遍录音，然后写出他们的职业(zhíyè, occupation)和在哪儿工作。

Listen to the record, and then write down their identity and working place.

说话人	职 业	在哪儿工作
1.	分析师	
2.		经济观察报
3.	老师	

 再听一遍录音，然后用合适的词语填空。

Listen to the record again, and then fill in the blanks using the following words.

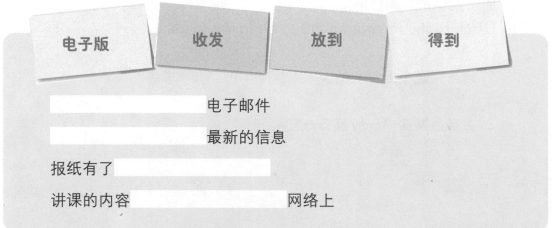

| 电子版 | 收发 | 放到 | 得到 |

_____ 电子邮件

_____ 最新的信息

报纸有了 _____

讲课的内容 _____ 网络上

口语任务 Speaking Tasks

① 实景对话 Dialogue

网络会议

销售 经理： 广州 的 同事， 你们 好!
xiāoshòu jīnglǐ: Guǎngzhōu de tóngshì, nǐmen hǎo!

你们 听 得 清楚 吗?
Nǐmen tīng de qīngchu ma?

> 听得清楚: This is the complement of degree. It is used following the predicate to illustrate the degree or manner of an action. There is a "得" between the verb and the adjective.

生产 经理： 我们 听 得 很 清楚。
shēngchǎn jīnglǐ: Wǒmen tīng de hěn qīngchu.

北京 的 同事们 好!
Běijīng de tóngshìmen hǎo!

销售 经理： 北京 这边 的 销售 很 好，
xiāoshòu jīnglǐ: Běijīng zhè biān de xiāoshòu hěn hǎo,

你们 的 生产 能 跟上 吗?
nǐmen de shēngchǎn néng gēnshang ma?

生产 经理： 现在 是 24 小时 生产， 一定
shēngchǎn jīnglǐ: Xiànzài shì èrshísì xiǎoshí shēngchǎn, yídìng

能 跟上。
néng gēnshang.

销售 经理： 新货 什么 时候 能 到 北京?
xiāoshòu jīnglǐ: Xīnhuò shénme shíhou néng dào Běijīng?

生产 经理： 这 星期四 到， 保证 你们 周末
shēngchǎn jīnglǐ: Zhè xīngqīsì dào, bǎozhèng nǐmen zhōumò

的 销售。
de xiāoshòu.

销售 经理: 货 到 北京 以后，我 再 和 你们 联系。
xiāoshòu jīnglǐ:　Huò dào Běijīng yǐhòu, wǒ zài hé nǐmen liánxì.

生产 经理: 好 的， 我们 再 联系。
shēngchǎn jīnglǐ:　Hǎo de, wǒmen zài liánxì.

Network Meeting

Sales manager: Hello, to our colleagues in Guangzhou. Can you hear me clearly?
Production manager: It's very clear. Hello, to our colleagues in Beijing.
Sales manager: We have made a good sale in Beijing. Can the production support us?
Production manager: We are producing 24 hours a day. I'm sure we can support you.
Sales manager: When can the new goods arrive in Beijing?
Production manager: This Thursday. We can ensure your sale on the weekend.
Sales manager: I'll contact you after the goods arrive in Beijing.
Production manager: OK. Talk with you later.

② 模拟练习 Simulation

 选择合适的词语填空。
Fill in the blanks using the given words.

和	到	跟

1. 这个星期五，我们订购的货物能 ＿＿＿＿＿＿ 上海吗？

2. 现在购买的人太多了，公司的生产 ＿＿＿＿＿＿ 不上了。

3. 货到以后，请 ＿＿＿＿＿＿ 我们联系。

根据课文把两列句子搭配起来。

According to the dialogue Match the sentences on the right side to the ones on the left.

1. 你能听清楚吗？

2. 那边销售怎么样？

3. 新货什么时候到？

4. 生产跟得上吗？

A. 一定能，现在是 24 小时生产。

B. 下周三。

C. 我听不太清楚。

D. 情况很好。

商 务 任 务　Business Tasks

① 角色扮演 Role-play

角色 Role

广州本田在广州、北京、上海的销售经理

The Guangzhou Honda sales managers from Guangzhou, Beijing and Shanghai

任务 Assignment

在网上讨论本田汽车在广州、北京、上海的销售情况和下半年的营销计划。

Discuss the sales of Honda in Guangzhou, Beijing and Shanghai and the marketing project for the next half year.

② 商务体验 Business Practice

你打算开一家网上商店，但是经验不太多。你先去当当网（http://www.dangdang.com）看看，然后安排自己的网上商店的商品和服务。

Please visit Dangdang's homepage first and then plan your own E-store.

扩展阅读 Further Reading

① 超级链接 Super Links

② 商务小词库 Supplementary Vocabulary

dēnglù 登录 log on	shàngchuán 上传 upload	xiàzǎi 下载 download
guānjiàn cí 关键 词 key word	sōusuǒ yǐnqíng 搜索 引擎 search engine	yuǎnchéng jiàoyù 远程 教育 long-distance education
jíshí tōngxùn 即时 通讯 instant messaging	wǎngluò bìngdú 网络 病毒 Internet virus	

Shìchǎng yíngxiāo

市场 营销
Marketing

和气生财

学习目标 **Objectives**

○ **学会说一些消费行为** Learning something about consumer behavior

○ **了解简单的市场营销** Learning something about marketing

○ **能说出对广告的看法** Learning how to express your opinion about advertising

词 语 Words & Expressions

生词与短语
Words &
Phrases

1

1 quán jiā 全 家 whole family

2 bǐjiào 比较 compare

3 qìchēzhǎn 汽车展 automobile exhibition

4 cùxiāo 促销 sales promotion

5 pǐnpái 品牌 brand

6 dàilǐshāng 代理商 agent

7 shùliàng 数量 quantity

8 zēngjiā 增加 increase

9 xiàjiàng 下降 reduce

10 zhuānmàidiàn 专卖店 specialty shop

11 zànzhù 赞助 sponsor

12 tǐyù 体育 sport

13 xiāofèi 消费 consumption

14 yǐngxiǎng 影响 influence, affect

2 专有名词 Proper Nouns

Ruìshì
瑞士
Swiss

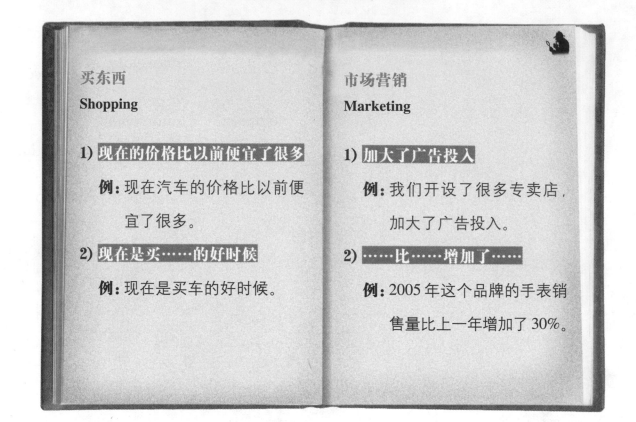

关键句式　Key Sentence Patterns

买东西
Shopping

1) 现在的价格比以前便宜了很多
   例：现在汽车的价格比以前便宜了很多。

2) 现在是买……的好时候
   例：现在是买车的好时候。

市场营销
Marketing

1) 加大了广告投入
   例：我们开设了很多专卖店，加大了广告投入。

2) ……比……增加了……
   例：2005年这个品牌的手表销售量比上一年增加了30%。

听力任务　Listening Tasks

① 买汽车 Buying a Car

听一遍录音，然后选择正确的答案。

Listen to the record, and then choose the right answer.

	学习开车	☐
	看汽车广告	☐
他在买车前做的准备有	跟同事买车	☐
	上汽车网站	☐
	看汽车展	☐

再听一遍录音，然后选择正确的答案。
Listen to the record again, and choose the right answers.

他买汽车的原因有：＿＿＿＿＿＿＿＿＿＿＿＿

A. 喜欢出去玩

B. 太太、孩子希望买

C. 广告很好

D. 价格便宜了

E. 有促销活动

② 品牌代理 Brand Agent

听录音，选择正确的答案。
Listen to the record, and then choose the right answer.

代理商 1

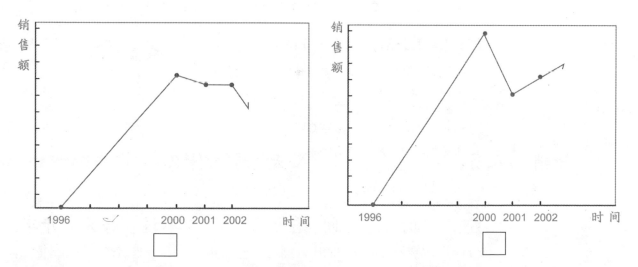

🎧 再听一遍录音，然后选择正确的答案。
Listen to the record again, and then choose the right answer.

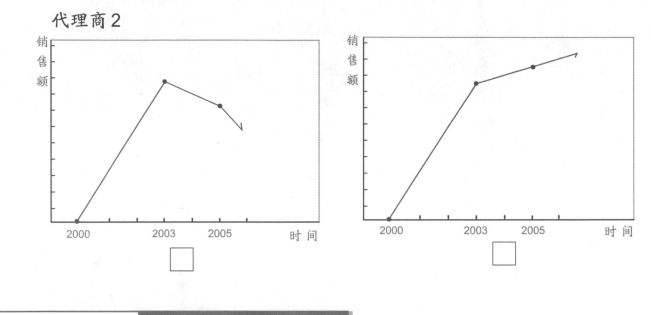

代理商2

销售额 ... 时间

2000　2003　2005

☐

销售额 ... 时间

2000　2003　2005

☐

口语任务 Speaking Tasks

① 实景对话 Dialogue

广告调查

营销 人员： 您 每天 会 看 什么 广告?
yíngxiāo rényuán:　Nín měitiān huì kàn shénme guǎnggào?

女： 电视 上 的 广告 很多，我 看 电视
nǚ:　Diànshì shàng de guǎnggào hěn duō, wǒ kàn diànshì
广告 会 多 一些。
guǎnggào huì duō yìxiē.

营销 人员： 先生，您 每天 看 什么 广告?
yíngxiāo rényuán:　Xiānsheng nín měitiān kàn shénme guǎnggào?

男： 我 没 时间 看 广告，不过 每天 开车
nán:　Wǒ méi shíjiān kàn guǎnggào, búguò měitiān kāichē

的时候，会 听 一些 电台 的 广告。
de shíhou, huì tīng yìxiē diàntái de guǎnggào.

营销 人员： 小 朋友，你 喜欢 看 广告 吗?
yíngxiāo rényuán: Xiǎo péngyǒu, nǐ xǐhuan kàn guǎnggào ma?

孩子： 特别 喜欢。我 在 广告 里 看见 好 吃 的
háizi: Tèbié xǐhuan, wǒ zài guǎnggào lǐ kànjiàn hǎo chī de
东西 就 让 妈妈 给 我 买。
dōngxi jiù ràng māma gěi wǒ mǎi.

营销 人员： 同学， 广告 对你的 消费 有 影响 吗?
yíngxiāo rényuán: Tóngxué, guǎnggào duì nǐ de xiāofèi yǒu yǐngxiǎng ma?

大学生： 没有 太多 的 影响， 我 更 喜欢 自己
dàxuéshēng: Méiyǒu tài duō de yǐngxiǎng, wǒ gèng xǐhuan zìjǐ
了解 产品 的 特点。
liǎojiě chǎnpǐn de tèdiǎn.

……的时候. This structure expresses an ongoing or progressive action at a certain point in time. E.g. 我喜欢在学习的时候听音乐

Advertising Survey

Salesman:	What kind of advertising do you see everyday?
Woman:	There are many advertisements on TV, so I see more television advertising.
Salesman:	Sir, what kind of advertising do you see everyday?
Man:	I have no time, but I drive everyday. So I listen to some radio advertising.
Salesman:	Miss, do you like advertisements?
Girl:	I like them very much. I ask my mum to buy me the tasty food in the advertising.
Salesman:	Does the advertising affect your consumption?
Collage student:	There is no effect. I like to find out about a product by myself.

市场营销 ▶▶▶

② 模拟练习 Simulation

根据课文把这些人与他们的回答连起来。

Match the person and the answer according to the dialogue.

小朋友	听电台广告
女士	影响不大
大学生	买广告里好吃的东西
男士	看电视广告

完成下面的对话。

Complete the dialogue.

1. A: 你每天看什么广告？

   B: _____。

2. A: 广告对你的消费有什么影响？

   B: _____。

 商务任务　Business Tasks

① 角色扮演 Role-play

角色 Role

长天公司东南地区的代理商
The agent of Changtian Company
in southeast of China

任务 Assignment

介绍长天公司电脑最近三年的销售情况。
The agent is reporting the sales of computers in the last three years.

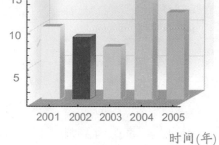

销售量

15

10

5

2001 2002 2003 2004 2005

时间(年)

② 商 务 体 验 Business Practice

请根据下面特点，向客人推销 (tuīxiāo, **promote**) 海尔电视机 (Haier)。
Sell Haier TVs to the customer according to the following specifications.

海尔电视机的特点：**The features and benefits of Haier TV set:**

● 有名的品牌 Well-known brand

● 价格便宜 Low prices

● 正在促销 On sales promotion

● 环保 (huánbǎo) Environment friendly

扩展阅读 Further Reading

① 超级链接 Super Links

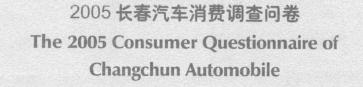

2005 长春汽车消费调查问卷
The 2005 Consumer Questionnaire of
Changchun Automobile

准备购车的读者请选择：

1. 您准备在多长时间内购买汽车? (　　)

  (1) 三个月　(2) 六个月

  (3) 一年内　(4) 三年内

  (5) 三年后

2. 您准备购买什么类型的车? (　　)

  (1) 轿车

  (2) SUV(运动型多功能车)

  (3) MPV(多功能乘用车)

  (4) 微型车

(5) 轻客

(6) 卡车

3. 您准备选择哪种类型的品牌？

    (   )

(1) 进口品牌

(2) 国产自主品牌

(3) 合资品牌

4. 您在考虑购买汽车时，最看重汽车的什么方面？   (   )

(1) 价格   (2) 品牌

(3) 外观   (4) 内饰

(5) 空间   (6) 动力性

(7) 操控性   (8) 油耗

(9) 维修保养费用

5. 您是否准备贷款购车？

(1) 是   (2) 否

(资料来源：长春汽车资讯网)

Readers who plan to purchase a car, please answer the following:

1. When do you plan to buy an automobile?
   - (1) In three months
   - (2) In six months
   - (3) In one year
   - (4) In three years
   - (5) After three years
2. What type of automobile do you plan to buy?
   - (1) car
   - (2) SUV
   - (3) MPV
   - (4) compact car
   - (5) light train
   - (6) truck
3. Which kind of brand do you plan to choose?
   - (1) import brands
   - (2) domestic brands
   - (3) joint-venture brands
4. When considering buying an automobile, which features do you value most?
   - (1) price
   - (2) brand
   - (3) appearance
   - (4) interior design
   - (5) space
   - (6) power
   - (7) control
   - (8) oil consumption
   - (9) maintenance expenses
5. Have you considered buying a used car with a loan?
   - (1) Yes
   - (2) No

② 商务小词库 Supplementary Vocabulary

dìngjià 定价 pricing	qīngxiāo 倾销 dumping
gòumǎi yìxiàng 购买 意向 intention to buy	shìchǎng dǎoxiàng de 市场 导向 的 market-driven
língshòu 零售 retail	shìchǎng fēn'é 市场 份额 market share
pǐnpái xíngxiàng 品牌 形象 brand image	tuīchū xīn chǎnpǐn 推出 新 产品 launch a product

Cáiwù   guǎnlǐ

财务 管理

Financial Management

 精打细算

学习目标   Objectives

○ 理解公司的财务管理 Learning about the financial management of a company

○ 学会分析财务报表 Learning how to analyze financial statements

○ 学会做预算计划 Learning how to make a budget

词 语 Words & Expressions

1

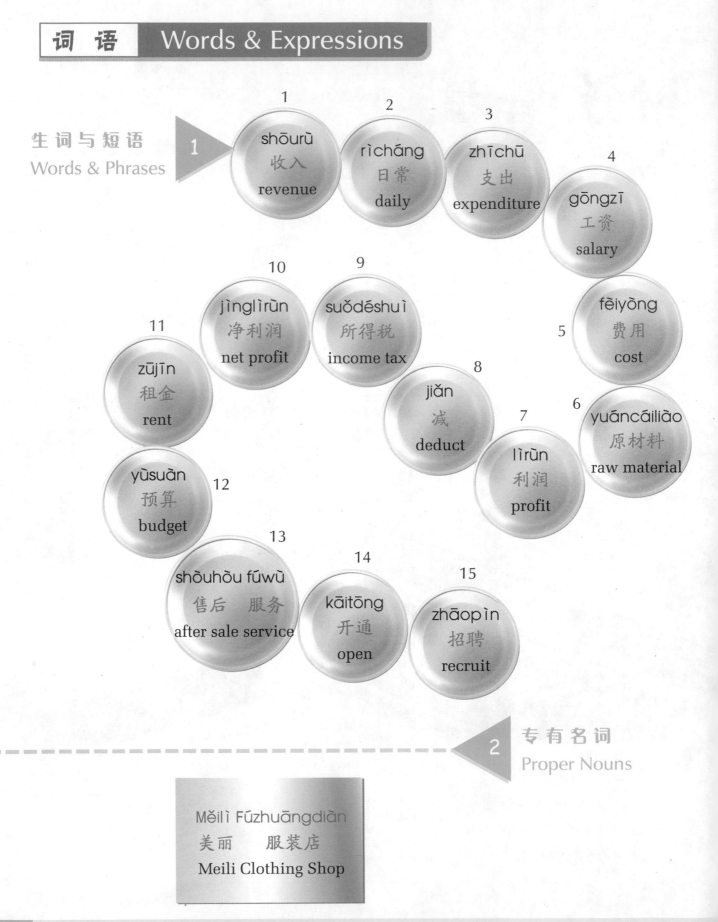

1
shōurù
收入
revenue

2
rìcháng
日常
daily

3
zhīchū
支出
expenditure

4
gōngzī
工资
salary

5
fèiyòng
费用
cost

6
yuáncáiliào
原材料
raw material

7
lìrùn
利润
profit

8
jiǎn
减
deduct

9
suǒdéshuì
所得税
income tax

10
jìnglìrùn
净利润
net profit

11
zūjīn
租金
rent

12
yùsuàn
预算
budget

13
shòuhòu fúwù
售后 服务
after sale service

14
kāitōng
开通
open

15
zhāopìn
招聘
recruit

2 专有名词
Proper Nouns

Měilì Fúzhuāngdiàn
美丽 服装店
Meili Clothing Shop

关键句式 Key Sentence Patterns

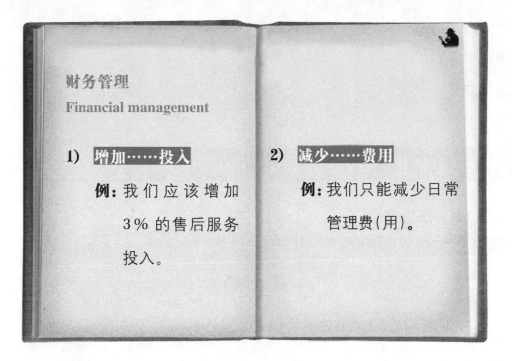

财务管理
Financial management

1) 增加……投入

例：我们应该增加3%的售后服务投入。

2) 减少……费用

例：我们只能减少日常管理费（用）。

听力任务 Listening Tasks

① 收入、费用和利润 Revenue, Expenses and Profits

 听一遍录音，然后填空。
Listen to the record, and then fill in the blanks.

天马公司的财务表				
销售收入	日常管理支出	销售费用	原材料支出	利润

再听一遍录音，然后填空。
Listen to the record again, and then fill in the blanks.

利 润	
所得税	
净利润	

② 收入和支出 Revenue and Expenditures

听两遍录音，然后填空。
Listen to the record twice, and then fill in the blanks.

美丽服装店   单位：元

时 间	销售收入	工资支出	商店租金	其他费用
第1个月			2000	1000
第2个月	9000		2000	
第3个月		3500	2000	

口语任务 Speaking Tasks

① 实景对话 Dialogue

预 算 计 划

男： 明年 的 预算 计划 你看了 吗？
nán: Míngnián de yùsuàn jìhuà nǐ kànle ma?

女：　看过了。 我 觉得 我们　应该　增加　　3%　　的
nǚ:　Kànguòle.　Wǒ juéde wǒmen yīnggāi zēngjiā bǎifēnzhīsān de
售后　服务 费用。
shòuhòu fúwù fèiyòng.

> 笔: Here is a measure word of money. It means "amount of".

男：　增加 的 这**笔** 钱 做 什么 呢?
nán:　Zēngjiā de zhè bǐ qián zuò shénme ne?

女：　应该　开通 8 0 0 免费 客户 服务 电话，　方便
nǚ:　Yīnggāi kāitōng bā líng líng miǎnfèi kèhù fúwù diànhuà, fāngbiàn
客户 和 我们　联系。
kèhù hé wǒmen liánxì.

男：　明年　要 招聘 新　员工，　人力 资源 的
nán:　Míngnián yào zhāopìn xīn yuángōng,　rénlì zīyuán de
费用 也得 增加。
fèiyòng yě děi zēngjiā.

女：　那 我们 只 能　减少 日常　管理　费用 了。
nǚ:　Nà wǒmen zhǐ néng jiǎnshǎo rìcháng guǎnlǐ fèiyòng le.

男：　我们 得 和 财务 经理 好好　谈谈。
nán:　Wǒmen děi hé cáiwù jīnglǐ hǎohao tántan.

Budget Plan

Man: Have you read the budget plan for next year?

Woman: Yes, I have. I think we should increase the after sale service by 3%.

Man: What do you want to do with this money?

Woman: I want to open an 800 customer service telephone center in order to facilitate communication with the customers.

Man: We'll recruit new employees next year, so thc human resources expenses must increase too.

Woman: Then we can only reduce the daily administration expense.

Man: We must have a talk with the financial manager.

2 模拟练习 Simulation

 根据课文，把两列词语连起来。
Match the left to the right according to the dialogue.

减少   新员工

开通   客户和我们联系

招聘   日常管理费用

方便   客户服务电话

填写下列表格。
Fill in the blanks.

明 年 预 算 计 划

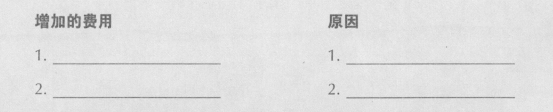

增加的费用	原因
1. _____	1. _____
2. _____	2. _____

减少的费用

_____

商务任务 Business Tasks

① 角色扮演 Role-play

角色 Role

售后服务部和财务部经理
The managers of the After Sale Department and the Finacial Department

任务 Assignment

公司想给客户提供更多的售后服务，需要增加费用。售后服务部经理跟财务部经理讨论这个问题。
The company is to offer more after sale service to the customers. You are discussing the plan to increase the budget.

② 商务体验 Business Practice

下图是一家服装公司2002~2004年的财务情况，先分析一下，然后为这家公司做出2005年的预算计划。
Below is a company's financial report for 2002—2004. First, analyze it, and then plan the 2005 budget for this company.

时间 \ 项目	销售收入 (万)	日常管理支出 (万)	销售费用 (万)	原材料 (万)	利润 (万)
2002 年	1000	50	80	600	270
2003 年	1100	80	140	700	180
2004 年	1500	130	200	950	220

扩展阅读 Further Reading

① 超级链接 Super Links

蜜蜂服务公司资产负债表

Balance Sheet of Busy Bee Service

资 产 Assets		负 债 Debts	
现金 Cash	$ 18 500	应付账款 Overdue payment	$ 13 355
投资 Investment	$ 22 000	应付票据 Overdue bill	$ 2 000
应收账款 Overdue payment	$ 19 666	抵押 Mortgage	$ 26 800
原材料 Raw material	$ 2 100	债务总和 Total debts	$ 42 155
设备 Equipment	$ 11 200	净值 Net value	$ 31 311
总资产 Total assets	$ 73 466	债务总和与净值 Total debts & net value	$ 73 466

② 商务小词库 Supplemtary Vocabulary

dàikuǎn	xìndài	zīchǎn
贷款	信贷	资产
loan	credit	assets

fāpiào	zēngzhíshuì	zīchǎn fùzhài biǎo
发票	增值税	资产 负债 表
invoice	value added tax	balance sheet

kuàijì	zhànghù
会计	账户
accounting	account

UNIT **9**

Shāngyè　zīxún

商业 咨询
Business Consulting

当局者迷　旁观者清

学习目标　**Objectives**

- 了解商业咨询公司的基本情况　Learning about the basics of commercial consulting companies
- 了解不同公司经营特点　Learning about the management characteristics of different companies
- 能给企业提供咨询服务　Learning how to offer consultation services to companies

词 语　Words & Expressions

生词与短语
Words & Phrases

1

1　shāngyè　商业　business

2　zīxún　咨询　consulting

3　jiějué fāng'àn　解决 方案　solution

4　xìnxīn　信心　confidence

5　kuàguó gōngsī　跨国 公司　multinational company

6　běntǔhuà　本土化　localization

7　fǎlǜ　法律　law

8　dānrèn　担任　serve as

9　gāojí　高级　senior

10　huǒbàn　伙伴　partner

11　hézī　合资　joint venture

12　chǎngfáng　厂房　factory building

13　qúdào　渠道　channel

14　tuījiàn　推荐　recommend

15　yōushì　优势　advantage

2　专有名词　Proper Nouns

Měiguó　美国　USA

Ōuzhōu　欧洲　Europe

Jiānéng　佳能　Canon

Sōngxià　松下　Panasonic

Nuòjīyà　诺基亚　Nokia

Huìpǔ　惠普　HP

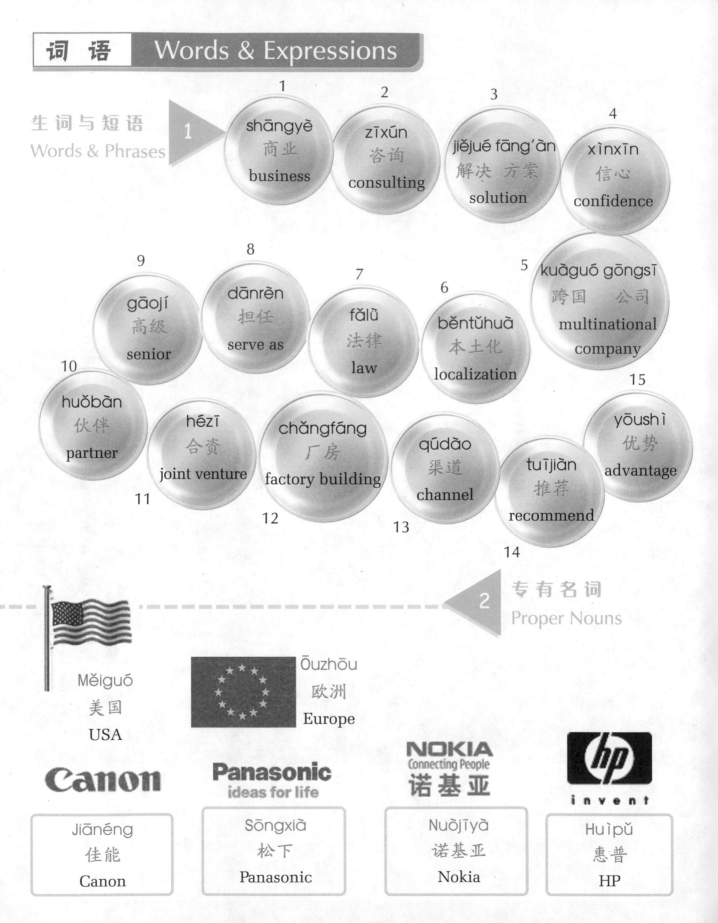

关键句式 Key Sentence Patterns

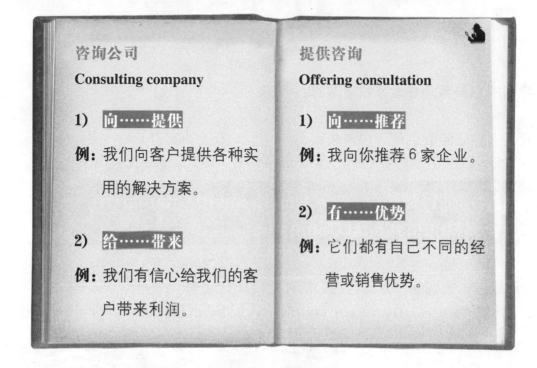

咨询公司
Consulting company

1) 向……提供

例：我们向客户提供各种实用的解决方案。

2) 给……带来

例：我们有信心给我们的客户带来利润。

提供咨询
Offering consultation

1) 向……推荐

例：我向你推荐6家企业。

2) 有……优势

例：它们都有自己不同的经营或销售优势。

听力任务 Listening Tasks

① 管理咨询公司 A Management Consulting Company

听一遍录音，然后选出正确的答案。
Listen to the record, and then choose the right answers.

	可以向客户提供解决方案	☐
	地址在上海	☐
这家公司	有12位咨询师	☐
	有自己的网站	☐
	每月举办免费培训	☐

再听一遍录音，然后填空。
Listen to the record again, and then fill in the blanks.

1. 我们的公司是一家　　　　　　　　咨询公司。

2. 我们的主要客户在北京和中国的　　　　　　　　。

3. 我们有信心给我们的客户带来　　　　　　　　。

② 跨国公司的经营特点　The Management Characteristics of Multinational Companies

 听一遍录音，把国家或地区与他们的经营特点连起来。
Listen to the record, match the country with the management characteristic.

建立很多研发中心　　　　生产本土化做得很好　　　　中国人担任高级职位

 再听一遍录音，然后填空。
Listen to the record again, and then fill in the blanks.

1. 不同的跨国公司的中国　　　　　　　　有不同的经营特点。

2. 佳能和松下公司的　　　　　　　　做得很好。

3. 1997年IBM中国公司的　　　　　　　　多名经理中，就有　　　　　　多个中国人。

口语任务 Speaking Tasks

① 实景对话 Dialogue

商业咨询

企业家： 我们 已经 做了 不少 调查，现在 希望 能
qǐyèjiā: Wǒmen yǐjing zuòle bùshǎo diàochá, xiànzài xīwàng néng
进入 北京 市场。
jìnrù Běijīng shìchǎng.

顾问： 找 一家 北京 的 公司 做 合作 伙伴 会
gùwèn: Zhǎo yì jiā Běijīng de gōngsī zuò hézuò huǒbàn huì
容易 一些。
róngyì yìxiē.

企业家： 我们 可以 提供 合资 企业的 资金、技术 和 管理。
qǐyèjiā: Wǒmen kěyǐ tígōng hézī qǐyè de zījīn、 jìshù hé guǎnlǐ.

顾问： 那就 找 可以 提供 厂房、 员工 和 销售
yùwèn: Nà jiù zhǎo kěyǐ tígōng chǎngfáng、yuángōng hé xiāoshòu
渠道 的 合作 企业。
qúdào de hézuò qǐyè.

企业家： 你对 当地 的企业一定 很了解，你 能 给
qǐyèjiā: Nǐ duì dāngdì de qǐyè yídìng hěn liǎojiě, nǐ néng gěi
我 推荐 几家 吗?
wǒ tuījiàn jǐ jiā ma?

顾问： 我 向 你 推荐 6 家 企业，他们 都 有 自己
gùwèn: Wǒ xiàng nǐ tuījiàn liù jiā qǐyè, tāmen dōu yǒu zìjǐ
不同 的 经营 或 销售 优势。
bùtóng de jīngyíng huò xiāoshòu yōushì.

企业家： 我 想 先 和 最 有 销售 优势 的 几 家 企业 谈谈。
qǐyèjiā： Wǒ xiǎng xiān hé zuì yǒu xiāoshòu yōushì de jǐ jiā qǐyè tántan.

顾问： 那 我 马上 联系， 安排 你 和 他们 见面。
gùwèn： Nà wǒ mǎshàng liánxì, ānpái nǐ hé tāmen jiànmiàn.

Business Consulting

Entrepreneur: We have already done much research. Now we hope to enter the Beijing market.

Consultant: It will be a little easier if you look for a Beijing company as your cooperative partner.

Entrepreneur: We can offer the investment, technology and management.

Consultant: They can offer the factory, staff and sales channel.

Entrepreneur: You must know a lot about the local enterprises. Can you give me some recommendations?

Consultant: I can recommend six enterprises to you. They each have their own management or sales advantages.

Entrepreneur: First, I want to talk with the enterprises which have sales advantages.

Consultant: I will contact the enterprises at once and arrange for you to meet them.

② 模拟练习 Simulation

 根据课文把两列词语搭配起来。

According to the dialogue, match the words on the right side to the ones on the left.

做	资金
进入	见面
提供	调查
安排	北京市场

选择合适的词语填空。
Fill in the blanks using the following words.

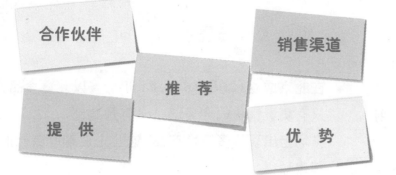

合作伙伴　　推荐　　销售渠道　　提供　　优势

1. 我想买一台电脑，您能向我 ＿＿＿＿＿ 几个品牌吗？

2. 只有扩大了商品的 ＿＿＿＿＿，公司的销售量才能增长。

3. 方正科技公司在技术方面有着很大的 ＿＿＿＿＿。

4. 为了完成这项工程，天马公司找了很多家 ＿＿＿＿＿。

5. 这家公司给顾客 ＿＿＿＿＿ 了非常好的商品和售后服务。

商务任务　Business Tasks

① 角色扮演 Role-play

角色 Role

天马公司的经理和一家企业管理咨询公司的咨询师
A Tianma manager and a consultant from a management consulting company

任务 Assignment

天马公司现在希望进入上海市场，经理向咨询师咨询。
Tianma hopes to enter the Shanghai market. The manager consults with the consultant.

② 商务体验 Business Practice

北京天天食品有限公司

1995 年	在北京成立 (chénglì, establish)，以儿童食品为主。
1998 年以前	只有负责销售的业务部，没有营销部。
2000 年以后	市场上出现很多竞争产品,这些企业都有自己的营销网络。
2003 年开始	销售额每年下降。
2005 年	产量增加，销售人员增加，销售额没有增加。

分析一下北京天天食品有限公司的情况，并给这家公司提出建议。
Analyze the situation of Beijing Everyday Food Co., Ltd, and then give some advices to this company.

扩展阅读 Further Reading

① 超级链接 Super Links

麦肯锡大中华

　　麦肯锡大中华分公司包括北京、香港、上海和台北四个分公司。

　　近几年来,麦肯锡大中华分公司成功地在大中华地区开展了一系列项目,为国有企业、快速增长的高科技企业、领先的本地金融机构以及大中华区的跨国公司等各类客户提供了广泛的战略、组织和运营方面的咨询服务。

　　麦肯锡大中华分公司正日益成为麦肯锡最富活力的分公司之一。

McKinsey & Company Greater China Office

The McKinsey & Company Greater China office includes Beijing, Hong Kong, Shanghai and Taipei.

In recent years they have successfully conducted a wide range of engagements throughout the region for state-owned enterprises, rapidly growing high tech players, leading local financial institutions, as well as for multinational companies.

The McKinsey & Company Greater China office has become one of the most dynamic offices of McKinsey.

(资料来源：http://www.mckinsey.com.cn)

② 商务小词库 Supplemtary Vocabulary

bàochóu 报酬 payment	gùwèn wěiyuánhuì 顾问 委员会 consultative committee
chéngzhǎngxíng qǐyè 成长型 企业 start-up company	shāngyè jìhuàshū 商业 计划书 business plan
chuàng xīn 创新 innovate	shùjù kù 数据 库 data bank
dùicè 对策 countermeasure	wàibāo 外包 outsourcing

Zhànlüè   guǎnlǐ

战略 管理

Strategy Management

站得高 看得远

学习目标 Objectives

○ 了解公司战略的制订过程 Learning about the process of strategy planning

○ 了解公司如何建立品牌 Learning how to establish a brand

○ 了解公司改变战略的原因 Learning about the reason why a company changes its strategy

词 语 Words & Expressions

生词与短语
Words & Phrases

1

1
zhànlüè
战略
strategy

2
zhìdìng
制订
plan

3
guīmó
规模
size

4
hángyè
行业
field

5
jìngzhēng duìshǒu
竞争　对手
competitor

6
fēnxī
分析
analyze

7
yùcè
预测
forecast

8
shìyìng
适应
adapt

9
yìngduì
应对
face up to

10
tiǎozhàn
挑战
challenge

11
shòu huānyíng
受欢迎
be well received

12
shíshāng
时尚
fashionable

13
xūqiú
需求
need

14
duōyuán
多元
diverse

15
mǎnzú
满足
satistfy

16
zhīmíng
知名
famous

2 专有名词
Proper Nouns

Hǎi'ěr
海尔
Haier

Haier
海尔

Niǔyuē
纽约
New York

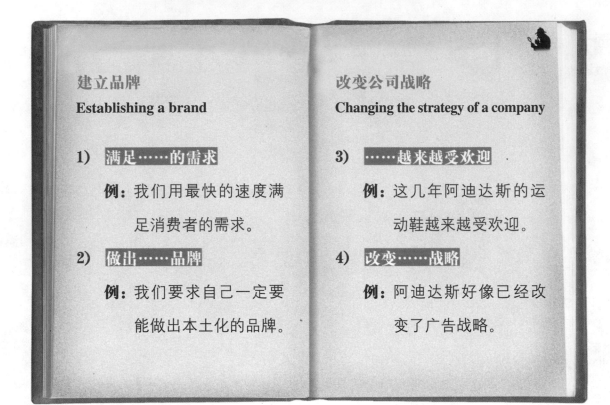

建立品牌

Establishing a brand

1) 满足……的需求

   例：我们用最快的速度满足消费者的需求。

2) 做出……品牌

   例：我们要求自己一定要能做出本土化的品牌。

改变公司战略

Changing the strategy of a company

3) ……越来越受欢迎

   例：这几年阿迪达斯的运动鞋越来越受欢迎。

4) 改变……战略

   例：阿迪达斯好像已经改变了广告战略。

听力任务 Listening Tasks

① 制订公司战略 Planning a Company Strategy

听一遍录音，然后填空。

Listen to the record, and then fill in the blanks.

高飞做过的工作是：

　　　　　→ 公司　　　　　　　→ 高级

再听一遍录音，然后填空。

Listen to the record again, and then fill in the blanks.

公司战略的制订过程

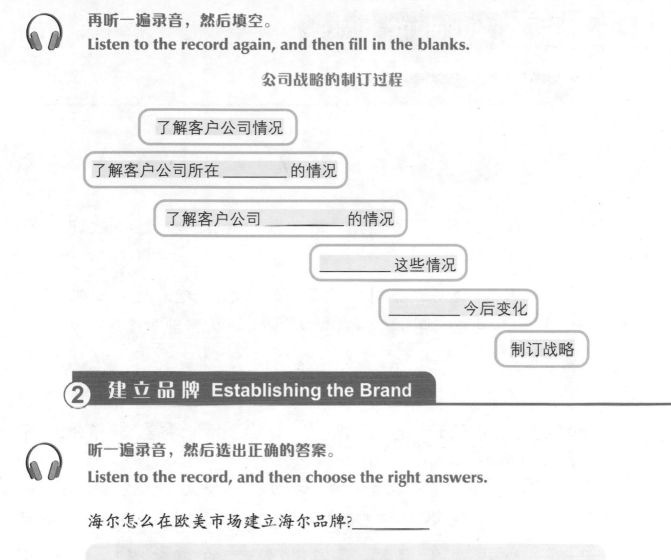

了解客户公司情况

了解客户公司所在 _____ 的情况

了解客户公司 _____ 的情况

_____ 这些情况

_____ 今后变化

制订战略

② 建立品牌 Establishing the Brand

听一遍录音，然后选出正确的答案。

Listen to the record, and then choose the right answers.

海尔怎么在欧美市场建立海尔品牌? _____

① 价格便宜　　② 能用最快的速度满足消费者的需求
③ 产品种类多　　④ 售后服务好
⑤ 品牌本地化

再听一遍录音，然后使用下列词语介绍一下海尔公司。

Using the following words, introduce the Haier Company in your own words.

知 名　　产 品　　美国和欧洲　　竞争对手　　成 功　　品 牌

口语任务　Speaking Tasks

1 实景对话 Dialogue

广告战略

记者： 这几年 阿迪达斯 运动鞋 越来越 受 欢迎 了。
jìzhě: Zhè jǐ nián Ādídásī yùndòngxié yuèláiyuè shòu huānyíng le.

专家： 因为 这家 公司 产品 的 设计 越来越 时尚。
zhuānjiā: Yīnwèi zhè jiā gōngsī chǎnpǐn de shèjì yuèláiyuè shíshàng.

记者： 为什么 呢?
jìzhě: Wèishénme ne?

专家： 因为 设计 是 品牌 运动鞋 的 重要 部分,
zhuānjiā: Yīnwèi shèjì shì pǐnpái yùndòngxié de zhòngyào bùfen,
　　　　一 双 不 漂亮 的 运动鞋 今天 是 没人 买的。
　　　　yì shuāng bú piàoliang de yùndòngxié jīntiān shì méi rén mǎi de.

记者： 公司 怎么 了解 各国 消费者 的 需求呢?
jìzhě: Gōngsī zěnme liǎojiě gèguó xiāofèizhě de xūqiú ne?

专家： 阿迪达斯是个 多元 文化 的企业,德国 总部
zhuānjiā: Ādídásī shì gè duōyuán wénhuà de qǐyè, déguó zǒngbù
　　　　就有 来自40个 国家 的 员工, 在 东京 和
　　　　jiù yǒu láizì sìshí gè guójiā de yuángōng, zài Dōngjīng hé
　　　　纽约 还有 设计室。
　　　　Niǔyuē háiyǒu shèjìshì.

记者： 阿迪达斯 好像 已经 改变了 广告 战略。
jìzhě: Ādídásī hǎoxiàng yǐjīng gǎibiàn le guǎnggào zhànlüè.

专家： 公司 现在只 选择 世界 知名 的 运动员
zhuānjiā: Gōngsī xiànzài zhǐ xuǎnzé shìjiè zhīmíng de yùndòngyuán

为 他们 的 品牌 做 广告。
wèi tāmen de pǐnpái zuò guǎnggào.

Advertising Strategy

Journalist: In recent years Adidas' sports shoes have become more and more popular.

Expert: That's because their product design is more and more fashionable.

Journalist: Why?

Expert: Because the design is the important part of sports shoes. Shoes which are not beautiful will never sell.

Journalist: How does the company know the consumers' demands in various countries?

Expert: Adidas is a company with diverse cultures. The staffs of the headquarters in Germany are from 40 different countries. They also have design studios in Tokyo and New York.

Journalist: Adidas has already seemed to change their advertising strategy.

Expert: Now they only choose world-class athletes to represent their brand.

② 模 拟 练 习 Simulation

根据课文写出阿迪达斯公司的特点。
Write the characteristics of Adidas according to the dialogue.

- 产品设计 _____

- 是个 _____ 的企业

- 只选择 _____ 为他们的品牌做广告

把两列词语连起来，并用它们填空。

Match and fill in the blanks with these words.

制订	挑战
应对	需求
满足	战略

1. 方正科技公司开发新产品 ＿＿＿＿＿＿＿＿ 消费者的 ＿＿＿＿＿＿＿＿。

2. 每家企业都 ＿＿＿＿＿＿＿＿ 自己的发展 ＿＿＿＿＿＿＿＿。

3. 这家服装公司做好了 ＿＿＿＿＿＿＿＿ 竞争对手 ＿＿＿＿＿＿＿＿ 的准备。

商务任务　Business Tasks

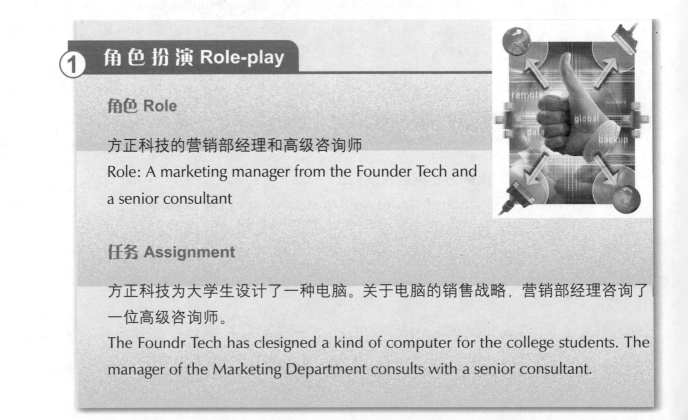

① 角色扮演 Role-play

角色 Role

方正科技的营销部经理和高级咨询师

Role: A marketing manager from the Founder Tech and a senior consultant

任务 Assignment

方正科技为大学生设计了一种电脑。关于电脑的销售战略，营销部经理咨询了一位高级咨询师。

The Foundr Tech has clesigned a kind of computer for the college students. The manager of the Marketing Department consults with a senior consultant.

② 商务体验 Business Practice

 华美公司是一家生产服装的企业，下面是这家公司的情况，请帮华美公司制订发展战略。

Huamei Company is a clothes company. The following is the situation of this company. Please plan a development strategy for Huamei Company.

	华美公司	竞争对手
优 势	进口设备 (shèbèi, facilities)；设计时尚；员工工作努力。	品牌很知名；产品质量好。
劣 势	产品不知名；产品种类少。	售后服务不太好；价格比较高。
机 会	市场需求量很大。	市场需求量很大；很多企业想与它合作。
挑 战	刚刚进入这个行业，经验很少；很多竞争对手。	服装公司越来越多，产品种类越来越多。

扩展阅读 Further Reading

① 超级链接 Super Links

　　2005年9月，马云和他创办的阿里巴巴收购了雅虎中国的全部业务，一时成为新闻媒介关注的焦点。

　　马云是最早在中国开展电子商务并坚守在互联网领域的企业家之一，他创办的阿里巴巴网站在短时间内成为全球最大的网上贸易市场和商务交流社区之一。2004年中国进出口总额1万亿美元，其中有1000万美元通过阿里巴巴实现；目前，中国1300万家企业中，大概700万家是阿里巴巴的客户。阿里巴巴被《福布斯》杂志评为亚洲最佳B2B网站之一。

　　问到为什么收购雅虎中国，马云认为，将阿里巴巴打造成全球最大的互联网企业之一，为客户和员工创造最大的价值，这是他们的远景目标，与雅虎合作的理想是加速这一目标的实现。

（资料来源：www.cnfol.com）

In September, 2005, Mayun and his Alibaba Company bought all the business of Yahoo China and became the focus of the media at the time.

Mayun is one of entrepreneurs who has developed e-commerce in China and still stands out in this field. His Alibaba became the biggest community in the field of import & export trade in a short time.

In 2004 China's total import and export value was 1,000 billion dollars, and 10 million of it was generated by Alibaba. Of 130 million cnterprises in China, at present about 70 million enterprises are customers of Alibaba. Alibaba has been chosen as one of the best B 2 B websites of Asia by Forbes.

In answer to why he bought Yahoo China, Mayun said his goal is to make Alibaba one of the biggest enterprises on the Internet worldwide and; to create the greatest value for customers and the staffs. To accelerate achieving this goal, he cooperates with Yahoo.

② 商务小词库 Supplementary Vocabulary

fēnbāo shēngchǎn	lǒngduàn
分包　生产	垄断
subcontracting	monopoly
fēngxiǎn tóuzī	tèxǔ jīngyíng
风险　投资	特许　经营
venture capital	franchising
guǎnlǐcéng shōugòu	tóuzīrén
管理层　收购	投资人
management buy-out (MBO)	investor
juécěrén	zhànshù
决策人	战术
policy-maker	tactic

Qǐyè wénhuà

企业 文化

Company Culture

家和万事兴

学习目标 Objectives

○ 了解企业文化 Learning about the company culture

○ 能表达企业文化的具体内容 Learning how to talk about the details of company culture

○ 能认识到企业文化之间的不同 Learning how to understand the differences between company cultures

词 语　Words & Expressions

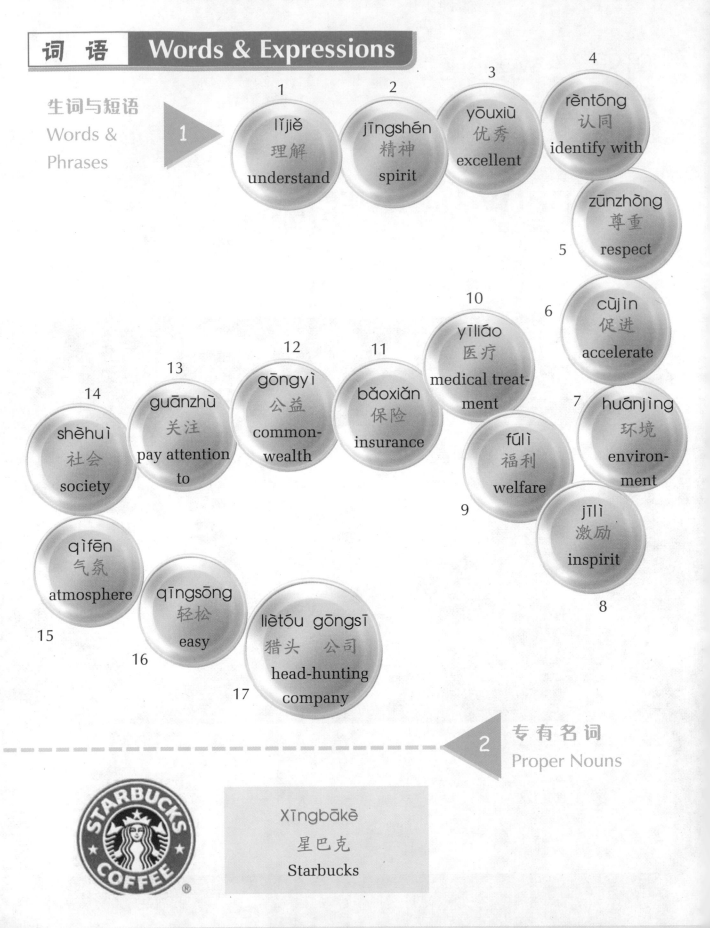

1

1 lǐjiě 理解 understand

2 jīngshén 精神 spirit

3 yōuxiù 优秀 excellent

4 rèntóng 认同 identify with

5 zūnzhòng 尊重 respect

6 cùjìn 促进 accelerate

7 huánjìng 环境 environment

8 jīlì 激励 inspirit

9 fúlì 福利 welfare

10 yīliáo 医疗 medical treatment

11 bǎoxiǎn 保险 insurance

12 gōngyì 公益 commonwealth

13 guānzhù 关注 pay attention to

14 shèhuì 社会 society

15 qìfēn 气氛 atmosphere

16 qīngsōng 轻松 easy

17 liètóu gōngsī 猎头 公司 head-hunting company

2 专有名词 Proper Nouns

Xīngbākè
星巴克
Starbucks

关键句式 Key Sentence Patterns

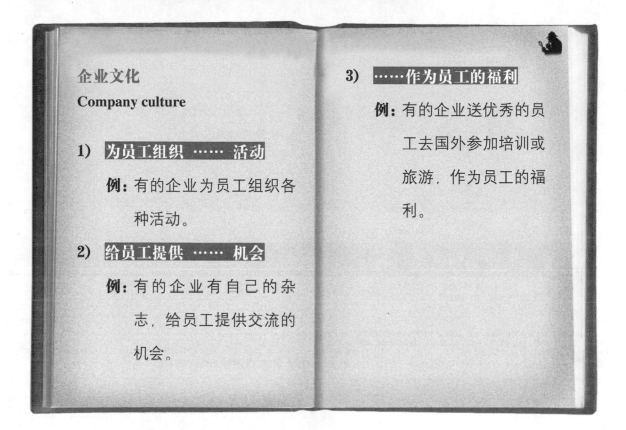

企业文化
Company culture

1) **为员工组织 …… 活动**

   例： 有的企业为员工组织各
   种活动。

2) **给员工提供 …… 机会**

   例： 有的企业有自己的杂
   志，给员工提供交流的
   机会。

3) **…… 作为员工的福利**

   例： 有的企业送优秀的员
   工去国外参加培训或
   旅游，作为员工的福
   利。

听力任务 Listening Tasks

① **什么是企业文化？ What is the Company Culture?**

听一遍录音，然后填空。
Listen to the record, and then fill in the blanks.

1. 企业文化有企业的 ＿＿＿＿、＿＿＿＿ 和 ＿＿＿＿。

2. 优秀的企业文化应让所有的员工都 ＿＿＿＿。因为员工对企业
   来说非常重要，互相 ＿＿＿＿ 可以促进企业共同发展。

3. 企业文化就是企业的 ＿＿＿＿，企业的大环境能影响 ＿＿＿＿。

再听一遍录音，然后选择正确的答案。
Listen to the record again, and then choose the right answers.

企业提供的交流机会：_____

员工得到的福利：_____

① 有自己的杂志　　　② 去国外参加培训

③ 组织各种活动　　　④ 参加旅游

② 喜欢星巴克 I like Starbucks

 听一遍录音，然后选择正确的答案。
Listen to the record, and then choose the right answers.

男的喜欢去星巴克的原因有：_____

① 价格便宜　　　② 咖啡很好

③ 很方便　　　④ 环境好

再听一遍录音，使用下列词语介绍一下星巴克的公司文化。
Listen to the record again, and then introduce Starbucks' company culture using the following words.

提供　　医疗保险　　公益活动　　社会责任

口语任务 Speaking Tasks

① 实景对话 Dialogue

不同的企业文化

女: 你 的 新 工作 怎么样?
nǚ: Nǐ de xīn gōngzuò zěnmeyàng?

男: 非常 好。我 很 满意。
nán: Fēicháng hǎo. Wǒ hěn mǎnyì.

一……就……: The structure means "no sooner than". It links a complex sentence to indicate that the second act follows immediately after the first act.

女: 跟 以前 比 有 什么 变化?
nǚ: Gēn yǐqián bǐ yǒu shénme biànhuà?

男: 收入 比 以前 低 了一些, 但是 福利 很好,
nán: Shōurù bǐ yǐqián dī le yìxiē, dànshì fúlì hěnhǎo,
培训 的 机会 比 以前 多 了。
péixùn de jīhuì bǐ yǐqián duō le.

女: 工作 内容 和 环境 呢?
nǚ: Gōngzuò nèiróng hé huánjìng ne?

男: 我 负责 的 工作 更 多 一些, 工作 环境 的
nán: Wǒ fùzé de gōngzuò gèng duō yìxiē, gōngzuò huánjìng de
气氛 也 更 轻松 一些。
qìfēn yě gèng qīngsōng yìxiē.

女: 我 现在 的 工作 很 没 意思, 一 上班 就 开会,
nǚ: Wǒ xiànzài de gōngzuò hěn méi yìsi, yí shàngbān jiù kāihuì
部门 之间 的 合作 也 不好, 一些 员工 已经
bùmén zhījiān de hézuò yě bù hǎo, yìxiē yuángōng yǐjīng
离开 公司 了。
líkāi gōngsī le.

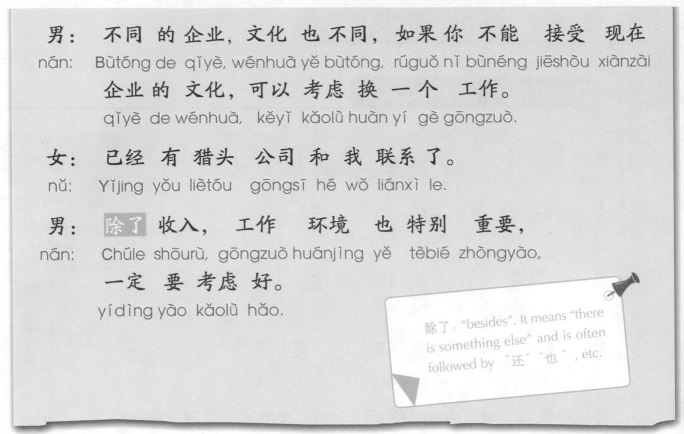

男： 不同 的 企业， 文化 也 不同， 如果 你 不能 接受 现在
nán: Bùtóng de qǐyè, wénhuà yě bùtóng, rúguǒ nǐ bùnéng jiēshòu xiànzài

企业 的 文化， 可以 考虑 换 一个 工作。
qǐyè de wénhuà, kěyǐ kǎolǜ huàn yí gè gōngzuò.

女： 已经 有 猎头 公司 和 我 联系 了。
nǚ: Yǐjing yǒu liètóu gōngsī hé wǒ liánxì le.

男： 除了 收入， 工作 环境 也 特别 重要，
nán: Chúle shōurù, gōngzuò huánjìng yě tèbié zhòngyào,

一定 要 考虑 好。
yídìng yào kǎolǜ hǎo.

> 除了: "besides". It means "there is something else" and is often followed by "还""也", etc.

Different Company Cultures

Woman: How is your new job?

Man: Very good. I like it.

Women: Are there any differences from your last job?

Man: The salary is a little bit lower, but it has good benefits and more opportunity for training.

Woman: What about the work and environment?

Man: Now I have more respensibilities, but the working atmosphere is easier.

Woman: My job is so boring. Everyday when I go to work, there is a meeting. The cooperation between departments is not good. Many employees have already left.

Man: Different companies have different cultures. If you cannot accept the culture of your company, you can consider changing your job.

Woman: The head-hunting company has been in contact with me.

Man: Besides the income, the working environment is also very important too. So you must consider it well.

② 模拟练习 Simulation

根据课文填空。
Fill in the blanks according to the dialogue.

新工作的变化 (男)

	变　化
收　入	
培训机会	
工作内容	
环　境	

完成下列对话。
Complete the dialogue.

（一……就）

1. A: 你为什么离开以前的公司呢？

   B: _____。

（除了……也）

2. A: 找工作要考虑些什么呢？

   B: _____。

商务任务　Business Tasks

① 角色扮演 Role-play

角色 Role

当当网的赵文和平安保险公司的李平
Zhao Wen and Li Ping

任务 Assignment

根据下面的情况谈谈各自公司的企业文化。
Say something about your company culture with the information given below.

赵文的公司

★ 组织各种活动，员工交流机会多

★ 每年组织旅游

★ 经常参加社会公益活动

★ 部门之间合作很好

李平的公司

★ 培训机会多，每年都有员工去国外参加培训

★ 提供医疗保险

★ 非常注意对社会的责任

★ 工作环境很好

② 商务体验 Business Practice

下面是一家公司几个员工的工作情况,分析一下公司的企业文化并向总经理提出你的建议。

The following is the situation of a company. Analyze their company culture and give your suggestions.

公司的接待员 (jiēdàiyuán, receptionist)

工作内容：每天接待客人，接电话。

工作安排：上午 8：00——下午 5：00 (周一到周五)

中午只有半个小时的休息时间，只能很快地吃饭。

个人感觉：不太喜欢目前的工作。因为很忙很累，工资也很低。

财务部员工

工作内容：负责公司资金管理，做出每项生产的预算等。

工作安排：上午 9：00——下午 6：00(周一到周五)

因为工作太忙，经常工作到很晚。

个人感觉：很喜欢目前的工作，同事们也合作得很好，工资还可以。但是，办公室太小了，并想得到更快的提升 (tíshēng, promotion)。

市场部的员工

工作内容：负责市场的开发，并设计广告、宣传 (xuānchuán, to promote) 产品等。

工作安排：上午 9：00——下午 6：00

经常出差，周末经常加班。

个人感觉：工作很有意思，但是经理对员工不太友好(yǒuhǎo, friendly)。不喜欢周末工作，认为出差时应增加补助 (bǔzhù, subsidy)。

① 超级链接 Super Links

中国平安

中国平安保险(集团)股份有限公司(以下简称"中国平安")成立于1988年,总部位于深圳。

中国平安的企业使命是:对客户负责,服务至上,诚信保障;对员工负责,生涯规划,安家乐业;对股东负责,资产增值,稳定回报;对社会负责,回馈社会,建设国家。

到2004年,中国平安共援建了35所希望小学;捐赠价值1000万元的捐血车;捐赠超过亿元的保险数额。同时,中国平安还在环境保护、灾难救助、慈善捐赠等方面奉献爱心。

中国平安有幸服务于社会,也有幸获得社会的认可。2001年、2002年、2003年,公司连续三年在"中国最受尊敬企业"评选中榜上有名。

(资料来源:http://www.rcnc.net/maindoc/guangao/pa18/pa.htm)

Ping An of China

Ping An of China was founded in 1988 in Shenzhen.

The mission of Ping An is: Responsibilities toward customers: service is the most important, and honest support; Responsibilities toward staff: career planning, peaceful and satisfactory work environment; Responsibilities toward shareholders: increasing assets with steady return; Responsibilities toward society: repay society, and build the country.

Ping An of China has helped to build 35 Hope Primary Schools, and donated a blood donation car worth 10,000,000 yuan and has contributed an amount insured over 10,000,000 yuan until 2004.

Ping An of China has also contributed to environment protection, disaster assistance and charity donation.

Ping An of China has won the respect of society because of its contribution to society. It won the competition of "the most respectable enterprises of China" in 2001, 2002 and 2003.

② 商务小词库 Supplementary Vocabulary

fēngxiǎn 风险 risk	shǐmìng 使命 mission
jiàzhíguān 价值观 values	wénhuà chāyì 文化　差异 cultural difference
jiǎngjīn 奖金 bonus	zhōngchéng 忠诚 loyal
kāifàng 开放 open	zìlǜ 自律 self discipline

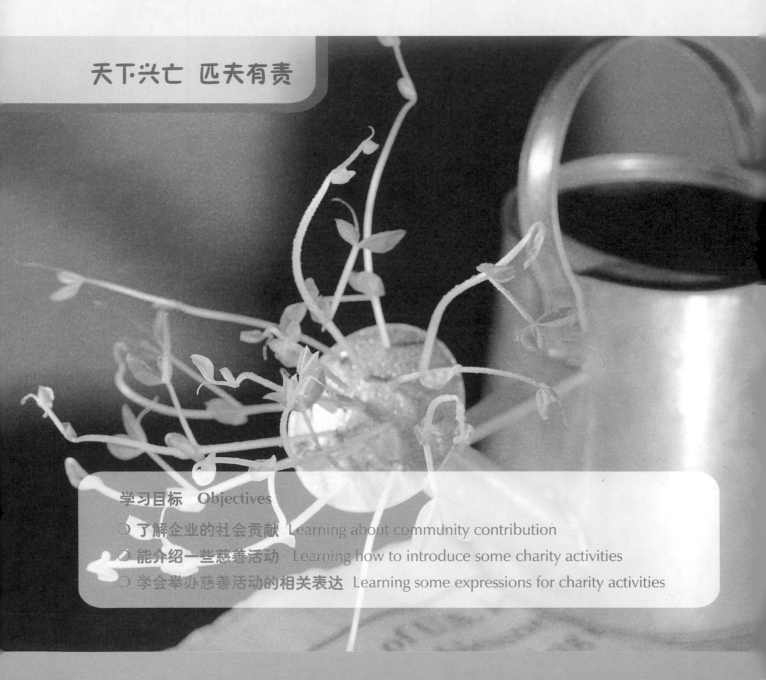

UNIT 12

Shèhuì gòngxiàn

社会 贡献
Community Contribution

天下兴亡 匹夫有责

学习目标 Objectives

○ 了解企业的社会贡献 Learning about community contribution
○ 能介绍一些慈善活动 Learning how to introduce some charity activities
○ 学会举办慈善活动的相关表达 Learning some expressions for charity activities

词 语 Words & Expressions

生词与短语
Words &
Phrases

1

1 gòngxiàn 贡献 contribution

2 císhàn 慈善 charity

3 pāimài 拍卖 auction

4 zhǔchí 主持 host

10 zérèngǎn 责任感 sense of responsibility

9 zēngqiáng 增强 build-up

8 chóují 筹集 raise

7 tóuzī 投资 invest

6 kǎochá 考察 investigate

5 míngxīng 明星 star

11 shūfǎ 书法 calligraphy

12 huìhuà 绘画 painting

13 gōngyìpǐn 工艺品 craftwork

14 jīngměi 精美 exquisite

15 yāoqǐngxìn 邀请信 invitation

16 quèrèn 确认 affirm

2 专有名词 Proper Nouns

Qīnghuá Dàxué
清华 大学
Tsinghua University

Nèiménggǔ
内蒙古
Inner Mongolia

关键句式　Key Sentence Patterns

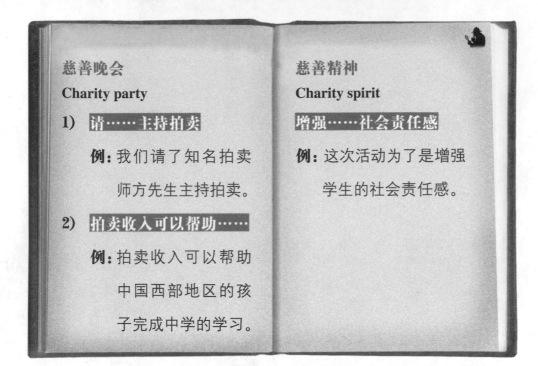

慈善晚会
Charity party

1) 请……主持拍卖

例：我们请了知名拍卖师方先生主持拍卖。

2) 拍卖收入可以帮助……

例：拍卖收入可以帮助中国西部地区的孩子完成中学的学习。

慈善精神
Charity spirit

增强……社会责任感

例：这次活动为了是增强学生的社会责任感。

听力任务　Listening Tasks

① 参加慈善拍卖晚会 Attending a Charity Auction Party

听两遍录音，然后填空。
Listen to the record twice, and then fill in the blanks.

慈善拍卖晚会

时间	（　　　　　）
地点	（　　　　　）
活动安排	先是（　　　　　），然后是（　　　　　）
拍卖物品	（　　　　　）、工艺品、（　　　　　）
主持人	（　　　　　）、电影明星
目的	帮助中国（　　　　　）的孩子完成中学学习

② 举办公益活动 Holding a Public Welfare

听一遍录音，选择正确答案。
Listen to the record, then choose the right answers.

清华大学EMBA学员去内蒙古的目的是：

① 了解当地经济发展和投资环境

② 培训中学老师

③ 举办参观活动

④ 增强社会责任感

再听一遍录音，然后填空。
Listen to then record again, and then fill in the blanks.

1. 清华大学的 EMBA 学员在当地举办了多种　　　　　　　　　　　。

2. 他们　　　　　　　　　　的时间就　　　　　　　　　　了 48 万元。

口语任务　Speaking Tasks

① 实景对话 Dialogue

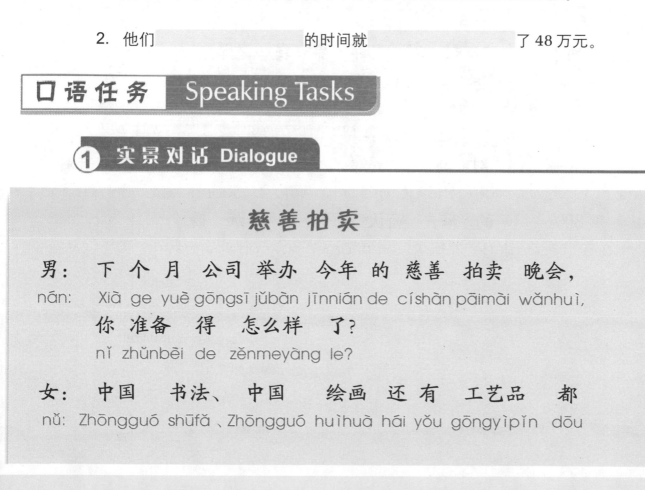

慈善拍卖

男： 下 个 月 公司 举办 今年 的 慈善 拍卖 晚会，
nán: Xià ge yuē gōngsī jǔbàn jīnnián de císhàn pāimài wǎnhuì,

你 准备 得 怎么样 了?
nǐ zhǔnbèi de zěnmeyàng le?

女： 中国 书法、 中国 绘画 还有 工艺品 都
nǚ: Zhōngguó shūfǎ 、Zhōngguó huìhuà hái yǒu gōngyìpǐn dōu

准备 好 了。
zhǔnbèi hǎo le.

男： 我 想 它们 一定 非常 精美。
nán: Wǒ xiǎng tāmen yídìng fēicháng jīngměi.

女： 拍卖 的 收入 可以 帮助 最少 100 个 小学生
nǚ: Pāimài de shōurù kěyǐ bāngzhù zuìshǎo yìbǎi gè xiǎoxuéshēng

完成 6 年 的 学习。
wánchéng liù nián de xuéxí.

男： 北京 饭店 的 宴会 厅 联系 好 了 吗?
nán: Běijīng Fàndiàn de yànhuì tīng liánxì hǎo le ma?

女： 联系 好 了, 我们 还 请 到 了 知名 拍卖师
nǚ: Liánxì hǎo le, wǒmen hái qǐng dào le zhīmíng pāimàishī

方 先生 为 我们 主持 拍卖。
Fāng xiānsheng wèi wǒmen zhǔchí pāimài.

男： 所有 的 公司 客户 都 要 发 邀请信, 还 要
nán: Suǒyǒu de gōngsī kèhù dōu yào fā yāoqǐngxìn, hái yào

打 电话 确认。
dǎ diànhuà quèrèn.

女： 大家 都 对 这 个 慈善 拍卖 活动 很 感 兴趣,
nǚ: Dàjiā dōu duì zhè ge císhàn pāimài huódòng hěn gǎn xìngqù,

80% 的 客户 确认 他们 会 参加 晚会。
bǎifēnzhībāshí de kèhù quèrèn tāmen huì cānjiā wǎnhuì.

最少: It means "at least", there is always a number after this expression.

Charity Auction

Men: How have you prepared for the charity auction party that will be held next month?

Woman: The calligraphy, painting and craftwork for the auction have already been prepared.

Man: I am sure they are very artistic.

Woman: The income of this auction can help at least a hundred primary students complete their six year's study.

Man: Have you contacted the banqueting hall of Beijing Hotel?

Woman: Yes, we have. We have invited a famous auctioneer, Mr. Fang, to be in charge of the auction.

Man: You should send invitations to all clients, and they should confirm by phone.

Woman: They are interested to this charity auction. 80% of them have confirmed that they will come.

② 模拟练习 Simulation

根据课文，选择正确的词语填空。

Fill in the blanks using the following words according to the dialogue.

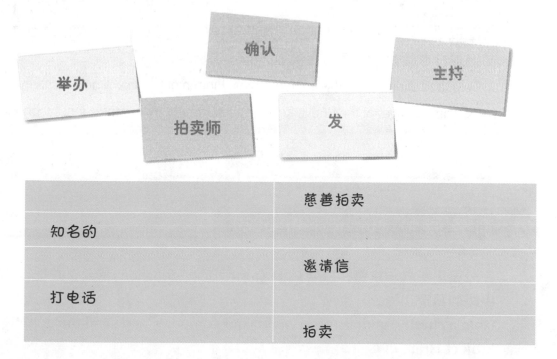

确认

举办

主持

拍卖师

发

	慈善拍卖
知名的	
	邀请信
打电话	
	拍卖

社会贡献 ▶▶▶

完成对话。
Complete the dialogue.

1. A: 你们公司为什么要举办拍卖晚会？

   B: _____。

2. A: 谁主持你们公司的拍卖会？

   B: _____。

商务任务　Business Tasks

① 角色扮演 Role-play

角色 Role

公司公关部经理和公司客户

A manager of the Public Relations Department and a client

任务 Assignment

为了帮助中国西部地区的孩子完成学习，平安公司要举办慈善拍卖晚会，公关部经理打电话邀请公司客户参加。

To help the children from the north of China, PingAn of China will hold a charity auction party. The manager of the Public Relation Department invites the client by phone.

② 商务体验 Business Practice

在公司里举办一次慈善捐款（物）(juānkuǎn, donation)活动，并把钱（物）寄给中国的希望工程。

Hold a charity fundraising event in your company, and send the donation to the Project Hope of China.

扩展阅读 Further Reading

① 超级链接 Super Links

慈善晚会邀请信

王东先生：

您好！

我们真诚邀请您参加我公司 2005 年慈善拍卖晚会。

为了资助贫困地区的中小学学生教育和教师培训，我公司定于11月30日晚7点至10点，在北京饭店一层宴会厅举行 2005 年慈善拍卖晚会，拍卖所得收入将全部捐给希望工程。届时将有600名贵宾出席晚会。

如果您要了解更多的情况，请随时与我们联系。我们希望在11月15日前得知您能否出席的确切消息。

此致

敬礼

公关部

张明(副经理)

2005 年 10 月 31 日

Invitation to the Charity Auction Party

October 31, 2005

Mr. Wang:

We cordially invite you to our 2005 Charity Auction Party.

To support the education of the primary school and middle school students and the training of teachers in the depressed areas, our company will hold the 2005 Charity Auction Party in the first floor banqueting hall of Beijing Hotel from 7 pm to 10pm on November 30th. All proceeds from the auction will be donated to the Project Hope. There are 600 distinguished guests who will attend.

Please get in touch with me, if you need more detailed information. I am looking forward to hearing from you before November 15th.

Yours sincerely

Zhang, Ming

Assistant Manager

The Public Relation Department

② 商务小词库 Supplementary Vocabulary

dāodé
道德
ethics

gǎnjī
感激
appreciation

gōngmín
公民
citizen

gòngtóng lìyì
共同 利益
common interest

juānzèng
捐赠
donate

shèqū
社区
community

yìwū
义务
obligation

录 音 文 本
Scripts

Unit 1

录音1:

第一个人: 你们好！我叫张元，是《经济日报》的记者。

第二个人: 大家好！我是麦当劳的店长，我叫林泉。

第三个人: 我是朱波，是方正科技的工程师。认识大家很高兴。

第四个人: 我是从日本来的三岛明，在广州本田汽车公司工作。

录音2:

欢迎大家参加今天的会议。我们请来了一些商务人士和大家一起交流他们的工作经验。第一位发言人是平安保险公司的主管李平女士；第二位发言人是赵文先生，赵文先生是中国最大的网上书店当当网的经理；第三位发言人是阿迪达斯公司的培训师王梅女士；第四位发言人是高强先生，高强先生是中国银行的分析师。

Unit 2

录音1:

天马公司是一家新公司，一共有20名员工。公司有4个部：一个是研发生产部，一个是市场营销部，一个是财务部，还有一个是管理服务部。公司的产品是绿色健康食品。

录音2:

天马公司的总经理负责公司的经营活动，研发生产经理负责新产品的开发、生产管理，市场营销经理负责市场开发和产品销售，财务经理负责财务工作，总经理秘书负责管理服务部。管理服务部负责人力资源等管理工作。

Unit 3

录音1:

国航预订: 您好，这是国航机票预订处。

公司秘书: 我要预订5月25号北京到东京的3张机票。

国航预订: 没有问题，请问您是订往返票吗？

公司秘书: 对，订往返票。回北京的时间是6月1号。

国航预订: 您订经济舱还是公务舱？

公司秘书: 1张公务舱、2张经济舱。

国航预订: 下午3点的飞机可以吗？

公司秘书: 可以。

录音2:

王梅是阿迪达斯北京公司的一名培训师，她经常为员工做培训。上个星期王梅组织了两天的新员工培训。

第一天的上午，王梅帮助新员工了解企业文化，下午和晚上组织各种团队活动，第二天上午王梅带新员工参观公司的管理部门。下午，王梅继续和新员工交流，最后对这两天的培训做了总结。

Unit 4

录音1:

方正科技大楼在北京市的西北边。大楼一共有18层，大楼有两部电梯，大楼的一层有全楼的指示图。方正科技销售公司在方正科技大楼的7层和8层。公司的人力资源部在7层706房间，财务部在8层808房间。

录音2:

欢迎你来麦当劳工作。我是这个店的店长。现在我给你介绍一下你的工作。你上班时间是下午两点半到晚上11点。中间有半个小时的休息时间。你负责2层的清洁工作。如果有人需要帮助，你有责任去帮助他们。如果有问题可以随时问值班经理。

Unit 5

录音1：

公关经理：张经理，下星期五的商务宴会已经安排好了。

销售经理：好的，这次是在哪个饭店？

公关经理：不是在饭店里，是在北海公园。不过，食品是北京饭店准备的，服务员也是北京饭店的。

销售经理：不错，这样更随意一些。《经济日报》的记者请了吗？

公关经理：请了一个《经济日报》的记者，还请了一个电视台的记者。

销售经理：太好了。

录音2：

商务宴会常常在哪里举办？很多人的回答都是"当然在饭店里"。但是现在人们也可以在公园或者画廊举办商务宴会，这样可以更随意一些。只要你选好了地点，然后给饭店的宴会销售部打一个电话，他们就会帮你安排好一切。比如一家公司决定在北海公园举办宴会，饭店就会做好各种准备，饭店的服务员也会来服务，所有食品和服务都和在饭店里一样。

Unit 6

录音1：

当当网是中国最大的网上书店。在当当网，你可以买到自己喜欢的书、DVD和CD等等。在当当网买书一般都有一些折扣，过程也很简单。你先找到自己要的书或CD，然后就可以看到一张信息单，写上你的地址和电话，还要写上送货地址和付钱方法，提交上面的这些信息，一天以后，你就可以收到你在网上书店订的书了。如果你买的东西

多，网站还提供免费送货服务。

录音2：

我是中国银行的分析师。我每天的工作都离不开互联网，收发电子邮件，得到最新的信息，然后分析这些信息。

我是《经济观察报》的记者。我们的报纸几年前就有了电子版，电子版的《经济观察报》有报纸上所有的新闻和信息。人们在《经济观察报》的网站上可以看到最新的新闻，还可以很容易地找到几年前的信息。

我是大学老师，过去学生想听我的课，都得来学校。现在有了互联网，我讲课的内容都放到互联网上了，现在我的学生更多了。

Unit 7

录音1：

我刚买了一辆汽车，星期六我们全家开车出去玩了一天。有一辆车真不错，星期六和星期天全家都可以出去玩玩。

买车以前，我看过很多的汽车广告。我每个星期还去几个汽车网站上比较一下，有汽车展的时候，我也会去看。

我的太太和孩子也都希望买车，他们说现在汽车的价格比以前便宜了很多，现在是买车的好时候。我的不少同事最近也都买了车，上个月有新的促销活动，于是我也就买了一辆车，全家人都很高兴。

录音2：

代理商1：

我是瑞士一个品牌手表中国东南地区的代理商。我从1996年开始代理这个品牌。2000年的销售数量最多。从2001年开始，我们的广告投入虽然增加，不过销售数量一直没有增加，2002年销售数量开始下降。

代理商2：

我也是瑞士一个品牌手表的中国代理商，我负责中国东北地区的销售。我从2000年开始代理

这个品牌。2003年我们开设了更多的专卖店，加大了广告投入，赞助体育比赛。2005年这个品牌的手表在东北地区的销售比上一年增加了30%。

Unit 8

录音1:

因为生产的绿色健康食品销售得非常好，2005年天马公司销售收入有800万元。这一年，公司的日常管理支出，包括员工工资支出是70万元，销售费用50万元，原材料支出500万元，天马公司得到180万元的利润。在利润里要减去33%的所得税，天马公司最后得到2005年度的净利润大约是120万元。

录音2:

美丽服装店在过去3个月的收入和支出是这样的。

第1个月：销售收入8000元，工资支出2000元，
商店租金2000元，其他费用1000元。

第2个月：销售收入9000元，工资支出2800元，
商店租金2000元，其他费用800元。

第3个月：销售收入1万元，工资支出3500元，
商店租金2000元，其他费用900元。

Unit 9

录音1:

我给大家简单介绍一下我们的公司。我们公司是一家企业管理咨询公司。我们向客户提供各种商业解决方案。我们的公司在北京，我们的二十多位咨询师都非常有经验。公司的主要客户在北京和中国的北方地区。我们有信心给我们的客户带来利润。我们公司有自己的网站，公司每个月举办一次免费的企业管理培训，欢迎各个公司打电话咨询。

录音2:

越来越多的跨国公司来到中国。不同的跨国公司的中国本土化经营有不同的特点。比如说，日本公司的生产本土化经营做得最好，欧洲和美国

公司在中国建立了不少的研发中心、财务咨询公司、法律咨询公司和管理咨询公司等等。另外，在欧美企业，中国人担任高级职位的很多。早在1997年，IBM中国公司的150多名经理中，就有80多个是中国人。

Unit 10

录音1:

我叫高飞，我是咨询公司的高级咨询师。我做咨询师已经有六年了。以前我做过培训师，也做过公司总经理。作为高级咨询师，我的一个工作是帮助客户公司制订公司的战略。在制订战略前，我和我的同事必须先了解客户公司情况，比如公司的规模、公司组织结构等等。另外我也得了解客户公司所在行业的情况，当然客户公司竞争对手的情况也必须了解。了解了情况以后，我和同事一起分析这些情况，预测今后的变化，我们才能为客户公司制订战略。比如说，客户公司应该怎么适应行业的变化，或应对竞争对手的挑战等等。

录音2:

记者：海尔公司是一家知名的中国公司，那么公司的产品有哪些呢?

海尔CEO：海尔的产品有80多种。主要有冰箱、空调、洗衣机、电视机和手机。

记者：为什么海尔公司先到美国和欧洲发展?

海尔CEO：因为美国和欧洲市场要大得多，那里有我们很多的竞争对手。我们相信如果能在那里成功，那么，在其他市场中就更能成功。

记者：您怎么在欧美市场建立海尔品牌呢?

海尔CEO：第一，我们用最快的速度满足消费者的需求。第二，我们的产品种类很多，能满足不同人的不同需求。第三，我们要求自己一定要能做出本土化的名牌。在美国，我们要让人们认为海尔是一个本地的品牌，在欧洲，我们也希望做到这一点。

Unit 11

录音1:

什么是企业文化呢？不同的企业家有不同的理解。一位企业家说："企业文化就是企业的目标、企业的管理和企业的精神。"另一位企业家认为："优秀的企业文化应让所有的员工都认同。因为员工对企业来说非常重要，互相尊重可以促进企业共同发展。"还有一位企业家说："企业文化就是企业的环境，我们总是用企业的大环境影响每个员工。"

那么，怎么才能做好企业文化？有的企业为员工组织各种活动，有的企业有自己的杂志，给员工提供交流的机会。有的企业为了激励员工，每年会送优秀的员工去国外参加培训或旅游，作为员工的福利。

录音2:

男：要不要咖啡？我去星巴克。

女：要一杯，谢谢。你为什么这么喜欢星巴克？因为咖啡还是因为别的？

男：当然是因为星巴克的咖啡好，还有是因为它就在办公楼的一层，很方便。

女：星巴克越开越多，为什么它会这么成功呢？

男：星巴克的产品和服务都很好，很多人认为星巴克的公司文化也很优秀。在美国，星巴克是第一个为所有员工提供完全医疗保险的公司。

女：星巴克还经常参加公益活动。

男：星巴克在营利的同时总是非常关注企业对社会的责任。

女：听了你的介绍，我现在更想喝它的咖啡了。

Unit 12

录音1:

男：我想请你和我一起参加下星期四的慈善拍卖晚会。

女：太好了。几点钟？在哪儿？

男：晚上8点，在北京饭店。

女：有什么活动呢？

男：先是晚宴，然后是拍卖。

女：这次拍卖一些什么东西呢？

男：有名牌服装、工艺品和手表等等。

女：谁主持这次拍卖？

男：晚会请了知名的拍卖师和一位电影明星一起主持拍卖。

女：拍卖的收入做什么用呢？

男：帮助中国西部地区的孩子完成中学的学习。

女：那我一定得买一些东西。

录音2:

2005年7月15号到19号，清华大学EMBA的180名老师和学员一起在内蒙古的几个地方，考察当地的经济发展和投资环境。清华大学的EMBA学员还在当地举办了多种公益活动。一天半的时间就筹集了48万元，这些钱可以帮助内蒙古的一些中学培训老师。

清华大学EMBA的老师表示，清华大学EMBA课程很重要的一个方面是增强学员的社会责任感。

题 语 解 释
Idioms

1. **有朋自远方来，不亦乐乎？**
有志同道合的人从远方来，不是很令人高兴的吗？
名言警句，出自《论语·学而篇》。

2. **众人拾柴火焰高**
比喻大家一起动手，力量大，好办事。
俗语。

3. **一年之计在于春，一天之计在于晨**
一年的计划要从春天做起，一天的计划要从早晨做起。比喻做事要早作打算，早安排。
俗语。

4. **安居乐业**
安定地生活，愉快地工作。安：安于、安定。居：居住的地方。乐：乐意。业：职业
成语。出自《后汉书·仲长统传》。

5. **买卖不成仁义在**
虽然生意没有做成，但是彼此还要讲仁义，不要伤感情。
俗语。

6. **运筹帷幄，决胜千里**
也可以说成"运筹帷幄之中，决胜于千里之外"。在后方制定作战策略，指挥前方作战，就能取得胜利。运筹：制定策略。帷幄：古代军中帐幕。
成语。

7. **和气生财**
对人对事态度和气，有助于生意兴旺。
俗语。

8. **精打细算**
形容计算得十分精细。
成语。

9. **当局者迷，旁观者清**
比喻当事人看问题往往主观、片面，反而不如旁观的人看得全面、清楚。当局：指下棋的人。旁观者：指看棋的人。
俗语。

10. **站得高，看得远**
站在高处能看到更远的事物。比喻目光远大、思想先进。
俗语。

11. **家和万事兴**
家庭和睦，事业就能兴旺，事情就能顺利。
俗语。

12. **天下兴亡，匹夫有责**
国家兴衰这样的大事，每一个普通百姓都有责任。匹夫：指老百姓。
名言警句；出自清朝顾炎武的《口知录》。

词 汇 表 （一）
Vocabulary

Unit 1

部门经理 / 部门主管	bùmén jīnglǐ / bùmén zhǔguǎn	Department Manager
部	bù	department
常务副总裁	chángwù fùzǒngcái	Managing vice president
初次	chūcì	first time
店长	diànzhǎng	store manager
董事	dǒngshì	Director of the Board
董事长	dǒngshìzhǎng	Chairman of the Board
发言	fāyán	state one's view
分析师	fēnxīshī	analyst
工程师	gōngchéngshī	engineer
广告	guǎnggào	advertisement
记者	jìzhě	journalist
经理	jīnglǐ	manager
交流	jiāoliú	exchange
经验	jīngyàn	experience
培训师	péixùnshī	trainer
人力资源	rénlì zīyuán	human resource
商务人士	shāngwù rénshì	businessman
首席财务官 / 财务总监	shǒuxí cáiwùguān / cáiwù zǒngjiān	CFO (chief financial officer)
首席执行官	shǒuxí zhíxíngguān	CEO (chief executive officer)
主管	zhǔguǎn	person in charge
总裁	zǒngcái	President
总经理	zǒngjīnglǐ	general manager
职位	zhíwèi	position

Unit 2

出差	chūchāi	on business
财务	cáiwù	finance
产品	chǎnpǐn	product
等级制度	děngjí zhìdù	hierarchy
董事会	dǒngshìhuì	board of directors

负责	fùzé	take charge
公关部	gōngguānbù	dept. of public relation
管理	guǎnlǐ	administration
开发	kāifā	develop
经营	jīngyíng	manage
简历	jiǎnlì	resume
录用	lùyòng	hire
企业家	qǐyèjiā	entrepreneur
申请	shēnqǐng	apply
生产	shēngchǎn	produce
团队	tuánduì	team
提升	tíshēng	promote
销售	xiāoshòu	sell
员工	yuángōng	staff
研发	yánfā	research & development
营销	yíngxiāo	marketing
职位	zhíwèi	position
职业	zhíyè	occupation
组织结构	zǔzhī jiégòu	organization structure

Unit 3

安排	ānpái	arrangement
查	chá	check
车间	chējiān	workshop(in factory)
传真	chuánzhēn	fax
单程票	dānchéngpiào	one-way ticket
登机	dēngjī	board a plane
电子机票	diànzǐ jīpiào	e-ticket
度假	dùjià	take a holiday
沟通	gōutōng	communicate
工厂	gōngchǎng	factory
客户	kèhù	customer
经济舱	jīngjìcāng	economic class
留言（给别人）	liúyán	leave a message
企业文化	qǐyè wénhuà	enterprise culture
日程	rìchéng	schedule
公务舱	gōngwùcāng	business-class
手续	shǒuxù	procedure

往返票	wǎngfǎnpiào	round-trip ticket
预订	yù dìng	to book; to reserve
运动设施	yùndòng shèshī	sport facilities
总结	zǒngjié	summary

Unit 4

保险柜	bǎoxiǎnguì	safe
保修期	bǎoxiūqī	guarantee period
办公	bàngōng	handle official business
层	céng	floor; stairs
打印机	dǎyìnjī	printer
订购	dìnggòu	order
地点	dìdiǎn	location
电梯	diàntī	elevator; lift
复印机	fùyìnjī	copy machine
耗材	hàocái	consumables
家具	jiājù	furniture
快件	kuàijiàn	express mail
牌子	páizi	tablet
清洁	qīngjié	clean
数码	shùmǎ	digital
送货	sòng huò	deliver goods
随时	suíshí	at any moment
投影仪	tóuyǐngyí	projector
责任	zérèn	responsibility
值班	zhíbān	on duty
指示图	zhǐshìtú	map

Unit 5

参观团	cānguāntuán	visiting group
成功	chénggōng	success
出席	chūxí	be present (at a banquet ,etc.)
答谢宴会	dáxiè yànhuì	return banquet
饭店	fàndiàn	hotel
干杯	gānbēi	cheers
贵宾	guìbīn	honored guest
合理	hélǐ	reasonable

合作	hézuò	coorporate
画廊	huàláng	gallery
进口	jìnkǒu	import
举办	jǔbàn	hold
品茶	pǐnchá	drink tea
庆祝	qìngzhù	celebrate
随意	suíyì	random
同事	tóngshì	colleague
宴会厅	yànhuìtīng	banquet hall
宴请	yànqǐng	entertain (to dinner)
宴会	yànhuì	banquet
愉快	yúkuài	pleasant
质量	zhìliàng	quality
祝酒	zhùjiǔ	toast

Unit 6

登录	dēnglù	log on
电子版	diàn zǐ bǎn	electronic edition
地址	dìzhǐ	address
跟上	gēnshàng	follow up
关键词	guānjiàn cí	key word
过程	guòchéng	process
购物	gòuwù	shopping
即时通讯	jíshí tōngxùn	instant messaging
简单	jiǎndan	simply
联系	liánxì	contact
免费	miǎnfèi	free
上传	shàngchuán	upload
搜索引擎	sōusuǒ yǐnqíng	search engine
提交	tíjiāo	submit
提供	tígōng	provide
网络病毒	wǎngluò bìngdú	Internet virus
网络	wǎngluò	network
网站	wǎngzhàn	website
下载	xiàzǎi	download
信息单	xìnxīdān	information list
远程教育	yuǎnchéng jiàoyù	long-distance education
折扣	zhékòu	discount

Unit 7

比较	bǐjiào	compare
促销	cùxiāo	sales promotion
代理商	dàilǐshāng	agent
定价	dìngjià	pricing
购买意向	gòumǎi yìxiàng	intention to buy
零售	língshòu	retail
品牌	pǐnpái	brand
品牌形象	pǐnpái xíngxiàng	brand image
汽车展	qìchēzhǎn	automobile exhibition
倾销	qīngxiāo	dumping
全家	quán jiā	whole family
市场导向的	shìchǎng dǎoxiàng de	market-driven
市场份额	shìchǎng fèn'é	market share
数量	shùliàng	quantity
体育	tǐyù	sport
推出新产品	tuīchū xīn chǎnpǐn	launch a product
下降	xiàjiàng	reduce
消费	xiāofèi	consumption
影响	yǐngxiǎng	influence, affect
赞助	zànzhù	sponsor
增加	zēngjiā	increase
专卖店	zhuānmàidiàn	specialty shop

Unit 8

贷款	dàikuǎn	loan
发票	fāpiào	invoice
费用	fèiyòng	cost
工资	gōngzī	salary
会计	kuàijì	accounting
净利润	jìnglìrùn	net profit
减	jiǎn	deduct
开通	kāitōng	open
利润	lìrùn	profit
日常	rìcháng	daily
收入	shōurù	revenue

售后服务	shòuhòu fúwù	after sale service
所得税	suǒdéshuì	income tax
信贷	xìndài	credit
预算	yùsuàn	budget
原材料	yuáncáiliào	raw material
增值税	zēngzhíshuì	value added tax
账户	zhànghù	account
招聘	zhāopìn	recruit
支出	zhīchū	expenditure
资产	zīchǎn	assets
资产负债表	zīchǎn fùzhài biǎo	Balance Sheet
租金	zūjīn	rent

Unit 9

报酬	bàochóu	payment
本土化	běntǔhuà	localization
厂房	chǎngfáng	factory building
成长型企业	chéngzhǎngxíng qǐyè	start-up company
创新	chuàng xīn	innovate
担任	dānrèn	serve as
对策	dùicè	countermeasure
法律	fǎlǜ	law
高级	gāojí	senior
顾问委员会	gùwènwěiyuánhuì	consultative committee
伙伴	huǒbàn	partner
合资	hézī	joint venture
解决方案	jiějuéfāng'àn	solution
跨国公司	kuàguógōngsī	multinational company
渠道	qúdào	channel
商业	shāngyè	business
商业计划书	shāngyèjìhuàshū	Business plan
数据库	shùjūkù	data bank
推荐	tuījiàn	recommend
外包	wàibāo	outsourcing
信心	xìnxīn	confidence
优势	yōushì	advantage
咨询	zīxún	consultating

Unit 10

多元	duōyuán	diverse
分包生产	fēnbāo shēngchǎn	subcontracting
风险投资	fēngxiǎn tóuzī	venture capital
分析	fēnxī	analyze
管理层收购	guǎnlǐcéng shōugòu	management buy-out(MBO)
规模	guīmó	size
竞争对手	jìngzhēng duìshǒu	competitor
决策人	juécèrén	policy-maker
垄断	lǒngduàn	monopoly
满足	mǎnzú	satistfy
时尚	shíshàng	fashionable
适应	shìyìng	adapt
受欢迎	shòu huānyíng	be well received
特许经营	tèxǔ jīngyíng	franchising
挑战	tiǎozhàn	challenge
投资人	tóuzīrén	investor
需求	xūqiú	need
行业	hángyè	field
应对	yìngduì	face up to
预测	yùcè	forecast
战略	zhànlüè	strategy
战术	zhànshù	tactic
知名	zhīmíng	famous
制订	zhìdìng	plan

Unit 11

保险	bǎoxiǎn	insurance
促进	cùjìn	accelerate
风险	fēngxiǎn	risk
福利	fúlì	welfare
公益	gōngyì	commonwealth
关注	guānzhù	pay attention to
环境	huánjìng	environment
激励	jīlì	inspirit
价值观	jiàzhíguān	values
奖金	jiǎngjīn	bonus
精神	jīngshén	spirit

开放	kāifàng	open
理解	lǐjiě	conderstand
猎头公司	liètóugōngsī	Head-hunting company
气氛	qìfēn	atmosphere
轻松	qīngsōng	easy
认同	rèntóng	identify with
社会	shèhuì	society
使命	shǐmìng	mission
文化差异	wénhuà chāyì	cultural difference
医疗	yīliáo	medical treatment
优秀	yōuxiù	excellent
忠诚	zhōngchéng	loyal
自律	zìlǜ	self discipline
尊重	zūnzhòng	respect

Unit 12

筹集	chóují	raise
慈善	císhàn	charity
道德	dàodé	ethics
感激	gǎnjī	appreciation
工艺品	gōngyìpǐn	craftwork
公民	gōngmín	citizen
共同利益	gòngtóng lìyì	common interest
贡献	gòngxiàn	contribution
绘画	huìhuà	painting
精美	jīngměi	exquisite
捐赠	juānzèng	donate
考察	kǎochá	investigate
明星	míngxīng	star
拍卖	pāimài	auction
确认	quèrèn	affirm
责任感	zérèngǎn	responsibility
社区	shèqū	community
书法	shūfǎ	calligraphy
投资	tóuzī	invest
邀请信	yāoqǐngxìn	invitation
义务	yìwù	obligation
增强	zēngqiáng	buildup
主持	zhǔchí	host

词 汇 表（二）
Proper Nouns

IBM 公司	IBM Gōngsī	IBM
阿迪达斯	Adídāsī	Adidas
北海公园	Běihǎi Gōngyuán	Beihai Park
北京大学	Běijīng Dàxué	Peking University
北京饭店	Běijīng Fàndiàn	Beijing Hotel
大田物流	Dàtián Wùliú	DTW Logistics
当当网	Dāngdāng Wǎng	Dangdang.com
东京	Dōngjīng	Tokyo
方正科技	Fāngzhèng Jítuán	Founder Tech.
广州本田	Guǎngzhōu Běntián	Guangzhou Honda
国航	Guóháng	Air China
海尔	Hǎi'ěr	Haier
佳能	Jiānéng	Canon
松下	Sōngxià	Panasonic
诺基亚	Nuòjīyà	Nokia
惠普	Huìpǔ	HP
纽约	Niǔyuē	New York
《经济观察报》	Jīngjì Guānchá Bào	Economic Observer
《经济日报》	Jīngjì Rìbào	Economic Daily
麦当劳	Màidāngláo	MacDonald
美丽服装店	Měilì Fúzhuāngdiàn	Meili Clothing Shop's
美国	Měiguó	USA
内蒙古	Nèiménggǔ	Inner Mongolia
欧洲	Ōuzhōu	Europe
中国平安	Zhōngguó Píng'ān	Pingan Insurance
清华大学	Qīnghuá Dàxué	Tsinghua University
瑞士	Ruìshì	Swiss
天马公司	Tiānmǎ Gōngsī	Tianma Co.
王府井	Wángfǔjǐng	Wangfujing
星巴克	Xīngbākè	Starbucks
中国银行	Zhōngguó Yínháng	Bank of China

郑 重 声 明

　　高等教育出版社依法对本书享有专有出版权。任何未经许可的复制、销售行为均违反《中华人民共和国著作权法》，其行为人将承担相应的民事责任和行政责任，构成犯罪的，将被依法追究刑事责任。为了维护市场秩序，保护读者的合法权益，避免读者误用盗版书造成不良后果，我社将配合行政执法部门和司法机关对违法犯罪的单位和个人给予严厉打击。社会各界人士如发现上述侵权行为，希望及时举报，本社将奖励举报有功人员。

反盗版举报电话：(010) 58581897/58581896/58581879
传　　真：(010) 82086060
E – m a i l：dd@hep.com.cn
通信地址：北京市西城区德外大街4号
　　　　　高等教育出版社打击盗版办公室
邮　　编：100120

购书请拨打电话：(010)58581118

图书在版编目（CIP）数据

体验汉语．商务篇 / 张红，岳薇编．—北京:高等教
育出版社，2006.3（2009 重印）
60~80 课时
ISBN 978-7-04-018766-3

Ⅰ．体 ... Ⅱ．①张 ... ②岳 ... Ⅲ．汉语－对外汉语
教学－教材 Ⅳ.H195.4

中国版本图书馆 CIP 数据核字(2006)第 019328 号

出版发行	高等教育出版社	购书热线	010 - 58581118
社　　址	北京市西城区德外大街 4 号	免费咨询	800 - 810 - 0598
邮政编码	100120	网　　址	http://www.hep.edu.cn
总　　机	010 - 58581000		http://www.hep.com.cn
		网上订购	http://www.landraco.com
经　　销	蓝色畅想图书发行有限公司		http://www.landraco.com.cn
印　　刷	北京佳信达欣艺术印刷有限公司	畅想教育	http://www.widedu.com
开　　本	889×1194　1/16		
印　　张	8.25	版　　次	2006 年 3 月第 1 版
字　　数	240 000	印　　次	2009 年 7 月第 5 次印刷

ISBN 978-7-04-018766-3
05800
物 料 号　18766-00